G000137859

JE SUIS LÀ

Clélie Avit est née en 1986 en Auvergne. Anciennement professeur de physique-chimie, elle se consacre désormais pleinement à l'écriture et à l'enseignement de la danse. Elle a gagné en 2015 le prix Nouveau Talent de la Fondation Bouygues Telecom avec *Je suis là*.

CLÉLIE AVIT

Je suis là

ROMAN

JC LATTÈS

© Éditions Jean-Claude Lattès, 2015.
ISBN : 978-2-253-09863-8 – 1re publication LGF

1

Elsa

J'ai froid. J'ai faim. J'ai peur.

Du moins, je crois.

Ça fait vingt semaines que je suis dans le coma et j'imagine que je dois avoir froid, faim et peur. Ça n'a aucun sens, parce que si quelqu'un doit savoir ce que je ressens, c'est bien moi, mais là... Je ne peux qu'imaginer.

Je sais que je suis dans le coma parce que je les ai entendus en parler. Vaguement. Ça devait être il y a six semaines que j'ai « entendu » pour la première fois. Si j'ai bien compté.

Je compte comme je peux. J'ai arrêté de compter en passages de médecin. Il ne vient quasiment plus. Je préfère compter en rondes d'infirmières, mais elles sont assez irrégulières. Le plus simple, c'est de compter en passages de femme de ménage. Elle entre dans ma chambre toutes les nuits vers 1 heure du matin. Je le sais parce que j'entends le jingle de la radio accrochée à son chariot. Et là, ça fait quarante-deux fois que je l'entends.

Six semaines que je suis réveillée.

Je suis là

Six semaines que personne ne s'en rend compte.

En même temps, ils ne vont pas me mettre dans un scanner vingt-quatre heures sur vingt-quatre. Si le capteur qui fait « bip » à côté de moi n'a pas voulu montrer que mon cerveau est de nouveau capable de faire fonctionner sa partie auditive, ils ne risquent pas de me glisser la tête dans un caisson à huit cent mille euros.

Ils me croient tous perdue.

Même mes parents commencent à laisser tomber. Ma mère vient moins souvent. Mon père aurait arrêté après dix jours. Il n'y a que ma petite sœur qui vienne régulièrement, tous les mercredis, accompagnée parfois de son copain du moment.

On dirait une ado, ma sœur. Elle a vingt-cinq ans et elle change de mec quasiment chaque semaine. J'aimerais lui frotter la tête avec mon poing, mais comme je ne peux pas, je l'écoute me parler.

S'il y a bien un truc que les médecins savent dire, c'est : « Parlez-lui. » Chaque fois que j'en entends un le répéter (certes, ça devient rare, puisqu'ils se déplacent de moins en moins), j'ai envie de lui faire avaler sa blouse verte. Je ne sais pas si elle est verte, d'ailleurs, mais je l'imagine verte.

Je m'imagine beaucoup de choses.

À vrai dire, je n'ai que ça à faire. Parce que, à force d'entendre ma sœur me raconter ses histoires de cœur, je me lasse.

Elle ne fait pas dans la dentelle, ma sœur, mais elle se répète un peu. C'est toujours le même début, le même milieu et la même fin. La seule chose qui change, c'est la tête du gars. Ils sont tous étudiants.

Ils sont tous motards. Ils ont tous un truc louche, mais ça, elle ne s'en rend pas compte. Je ne lui ai jamais dit. Si un jour je sors de ce coma, faudra que je le fasse. Ça pourrait lui rendre service.

Il y a quand même un avantage avec ma sœur. C'est quand elle me décrit ce qu'il y a autour de moi. Ça prend juste cinq minutes. Les cinq premières minutes quand elle entre dans ma chambre. Elle me parle de la couleur des murs, du temps qu'il fait dehors, de la jupe de l'infirmière sous sa blouse et de l'air ronchon du brancardier qu'elle a croisé en arrivant. Elle est aux Beaux-Arts, ma petite sœur. Alors, quand elle me décrit tout ça, j'ai l'impression de lire un poème en images. Mais ça ne dure que cinq minutes. Après, c'est parti pour une heure de roman Harlequin.

Aujourd'hui, il paraît qu'il fait gris et que ça rend les murs laiteux de ma chambre encore plus affreux que d'habitude. L'infirmière est en jupe beige, histoire d'égayer le tout. Et le dernier mec du moment s'appelle Adrien. J'ai décroché après Adrien. Je suis revenue à mon environnement quand la porte s'est fermée.

Je suis de nouveau seule.

Ça fait vingt semaines que je suis seule, seulement six que je m'en rends compte. Et pourtant, j'ai l'impression que ça fait une éternité. Ça passerait peut-être plus vite si je dormais plus souvent. Enfin, si mon esprit se déconnectait. Mais je n'aime pas dormir.

Je ne sais pas si j'ai une quelconque influence sur mon corps. Je suis plutôt « en marche » ou « à l'arrêt », comme un appareil électrique. Mon esprit fait ce qu'il veut. Je suis en location dans mon propre corps. Et je n'aime pas dormir.

Je n'aime pas dormir parce que, quand je dors, c'est même plus en location, c'est spectatrice que je suis. Je regarde toutes ces images défiler devant moi et je n'ai aucun moyen de les chasser rapidement en me réveillant ou en transpirant ou en me débattant. Je peux juste les regarder passer et attendre la fin.

Chaque nuit, c'est la même chose. Chaque nuit le même rêve. Chaque nuit, je revis l'événement qui m'a menée là, dans cet hôpital. Et le pire dans l'histoire, c'est que je me suis mise toute seule dans cet état. Juste moi. Moi et ma stupide passion glaciaire, comme disait mon père. C'est d'ailleurs pour ça qu'il a arrêté de venir me voir. Il doit penser que je l'ai bien cherché. Il n'a jamais compris pourquoi j'aimais autant la montagne. Il me disait souvent que j'y laisserais ma peau. Il a sûrement l'impression d'avoir gagné la bataille avec mon accident. Moi, je n'ai pas l'impression d'avoir perdu ni d'avoir gagné. Je n'ai aucune impression du tout. Je veux juste sortir du coma.

Je veux avoir froid, faim et peur pour de vrai.

C'est fou ce qu'on peut comprendre sur notre corps quand on est dans le coma. On comprend réellement que la peur est une réaction chimique. Parce que je pourrais être terrorisée quand je revis chaque nuit mon cauchemar, mais non, je regarde. Je me regarde me lever à 3 heures du matin dans le dortoir du refuge et réveiller mes compagnons de cordée. Je me regarde déjeuner maladroitement, hésitant comme chaque fois à boire un thé pour éviter d'avoir la vessie pleine sur le glacier. Je me regarde enfiler méthodiquement chaque couche de vêtements depuis les pieds jusqu'à la tête. Je me regarde fermer ma veste coupe-vent, enfiler mes gants, régler ma lampe frontale et passer mes crampons. Je me regarde rire avec mes copains, eux aussi à moitié réveillés mais inondés de joie et d'adrénaline. Je me regarde ajuster mon baudrier, lancer la corde à Steve, faire mon nœud de huit.

Ce foutu nœud de huit.

Ce nœud que j'ai fait un nombre incalculable de fois.

Ce matin-là, j'ai négligé de le faire vérifier à Steve parce qu'il racontait une blague.

Il donnait pourtant l'impression d'être bien fait.

Mais je ne peux pas me prévenir. Alors je me regarde enrouler le surplus de corde dans ma main, prendre mon piolet de l'autre et entamer ma course.

Je me regarde souffler, sourire, trembler, marcher, marcher, marcher et encore marcher. Je me regarde avancer à pas mesurés. Je me regarde en train de dire à Steve de faire attention au pont de neige sur la crevasse au-dessus. Je me regarde serrer les dents en passant moi-même à l'endroit délicat et souffler de soulagement de l'autre côté. Je me regarde blaguer sur la facilité de la chose.

Et je regarde mes jambes se dérober sous moi.

La suite, je la connais par cœur. Le pont de neige était une immense plaque. J'étais la seule encore dessus. La neige glisse sous moi et je pars avec elle. Je sens l'impact de la corde tendue nous reliant Steve et moi, comme des jumeaux autour d'un cordon ombilical. Je sens le soulagement m'envahir d'abord, puis la peur quand la corde s'allonge de quelques centimètres. J'entends la voix de Steve qui s'accroche à la glace avec crampons et piolets. Je perçois vaguement des ordres, mais la neige continue à me passer dessus, à appuyer sur mon corps. Progressivement, la tension autour de ma taille se relâche, le nœud se défait et je pars.

Je ne vais pas très loin. Deux cents mètres peut-être. La neige me recouvre de toutes parts. J'ai terriblement mal à la jambe droite et mes poignets semblent avoir pris des angles étranges.

J'ai l'impression de m'endormir quelques secondes puis je me réveille, plus alerte que jamais. Mon cœur bat à toute allure. Je suis paniquée. Je tente de me calmer mais c'est difficile. Je ne peux bouger aucune partie de mon corps. La pression est trop importante.

Je respire à peine, même avec les quelques centimètres carrés de vide devant moi. J'ouvre un peu la bouche et trouve avec difficulté la force de tousser. Ma salive tombe sur ma joue droite. Je dois être sur le côté. Je ferme les yeux et tente de m'imaginer dans mon lit. C'est juste impossible.

J'entends des pas au-dessus de moi. J'entends la voix de Steve. J'ai envie de crier. De lui dire que je suis là, juste sous ses pieds. J'entends d'autres voix aussi. Sûrement les alpinistes qu'on a doublés un peu avant. Je voudrais souffler dans mon sifflet, mais il faudrait que je puisse bouger la tête et c'est impossible. Alors j'attends, gelée, pétrifiée. Progressivement, les bruits s'estompent. Je ne sais pas si c'est parce qu'ils s'éloignent ou parce que je m'endors, mais tout devient noir.

Et après ça, la seule chose dont je me souvienne est la voix du médecin qui dit à ma mère qu'il y a encore des papiers à remplir puisqu'on vient de me changer de chambre, parce que vous comprenez, madame, au-delà de quatorze semaines, l'équipe médicale ne peut plus faire grand-chose.

Ensuite, j'ai compris que je ne pouvais qu'entendre. Mon esprit s'est préparé à pleurer, mais forcément je n'ai pas réussi. Je n'ai même pas ressenti de tristesse. Je n'en ressens toujours pas. Je suis un cocon vide. Non, j'habite dans un cocon vide.

Une chrysalide en location dans un cocon, c'est peut-être plus joli. J'aimerais bien en sortir, histoire de dire que je suis aussi propriétaire.

2

Thibault

— Laisse-moi tranquille, j'te dis !

— T'iras nulle part tant que tu ne seras pas venu le voir.

— Laisse-moi ! J'ai déjà essayé quinze fois, et ça change rien du tout. Il est abominable, infect, vulgaire et grossier. On dirait un mauvais dessin animé. Ça ne m'intéresse pas.

— C'est ton frère, merde !

— C'était mon frère avant qu'il roule sur ces deux gamines. Le destin l'a pas loupé, au moins. Il aurait peut-être mieux valu qu'il crève comme elles, mais à la limite ça lui fait une sacrée punition.

— Putain, Thibault, écoute-toi ! Tu penses pas tout ce que tu dis.

Je me fige. Ça fait un mois que je répète le même discours à tout le monde et mon cousin croit encore que je dis ça juste par inquiétude. Je ne suis plus inquiet. Je l'ai été au début quand l'hôpital a appelé, quand ma mère s'est effondrée sur le carrelage de la cuisine, quand on roulait dans la vieille 206 de mon cousin en dépassant les limites de vitesse. Je l'ai été jusqu'à ce que je voie un policier à l'entrée de la chambre de mon frère. À partir de ce moment-là, j'ai juste été en colère.

— Si, je pense chacun de mes mots.

J'ai prononcé cette dernière phrase sur un ton glacial. Apparemment, mon cousin ne s'y attendait pas. Il s'est lui aussi arrêté dans le couloir. Je sais que ma mère est déjà dans la chambre 55.

Quelques infirmières nous dépassent, imperturbables. Je lance un regard à mon cousin. Il est pétrifié de honte.

— Arrête de te prendre la tête et fous-moi la paix. Invente ce que tu veux pour ma mère. Je vous retrouve à la sortie.

Je me retourne, pousse le loquet de la porte sur ma droite qui mène à l'escalier et la fais claquer dans mon dos. Personne ne prend jamais les escaliers dans un hôpital, alors je ferme les yeux, m'appuie contre le mur puis, lentement, je me laisse glisser au sol.

Le béton ciré est froid au travers de mon jean, mais je m'en moque. J'ai déjà les pieds gelés à cause du trajet en voiture sans chauffage et mes mains doivent être bleues. J'ose même pas imaginer la couleur qu'elles auront cet hiver si je continue à oublier mes gants chaque fois que je sors. On est encore en automne, officiellement en tout cas, mais il y a des relents d'hiver dans l'air. Moi, j'ai juste la bile qui me remonte jusqu'au fond de la gorge, comme chaque fois que je mets les pieds dans cet hôpital. Je voudrais vomir mon frère, vomir son accident et vomir l'alcool qu'il a cuvé le lendemain après avoir renversé les deux gamines. Mais ma gorge se contente de se serrer par spasmes sans que rien ne sorte. Génial. Je vomis de l'air.

L'odeur de l'hôpital envahit mes narines. C'est curieux. Généralement, ça sent moins fort dans les escaliers. J'ouvre les yeux pour voir si un médecin n'aurait pas laissé tomber un truc et je jure.

Je me suis planté, je suis dans une chambre. J'ai dû confondre le symbole de la sortie de secours avec un panneau quelconque sur la porte. J'ai intérêt à partir avant que la personne dans son lit ne se réveille.

De là où je suis, je ne vois que le bas des jambes. Enfin, je vois le drap rose qui les recouvre. Ça sent effectivement la chimie d'hôpital, mais quelque chose d'autre retient mon attention. Il y a une odeur supplémentaire, un truc qui n'a rien à voir avec les médicaments et l'aseptisation constante des lieux. Je ferme les yeux pour me concentrer.

Du jasmin. Ça sent le jasmin. C'est pas banal, comme odeur. Mais j'en suis sûr, c'est la même odeur que le thé que prend ma mère tous les matins.

C'est bizarre, le bruit de la porte n'a pas réveillé la personne. Peut-être qu'elle dort encore. Je n'arrive pas à savoir si c'est un homme ou une femme mais, rien qu'à l'odeur, je penche pour une femme. Je connais pas un mec qui se parfumerait au jasmin.

J'avance doucement, planqué comme un gosse derrière le mur de la petite salle de douche. L'odeur de jasmin devient plus forte, je fais dépasser ma tête.

Une femme. Rien de surprenant, finalement, mais j'avais l'impression qu'il me fallait confirmation. Elle dort. Parfait. Je vais pouvoir sortir sans avoir déclenché d'incident.

En repassant dans l'autre sens, j'aperçois mon reflet dans le petit miroir accroché au mur. J'ai les yeux hagards et les cheveux en bataille. Ma mère dit toujours que je pourrais être plus élégant si je me donnais la peine de les arranger. Je lui dis toujours que j'ai pas le temps. Ce à quoi elle rétorque que ça plairait mieux aux femmes si ma tignasse brune était domestiquée. Dans ce genre de cas, je me passe de lui expliquer que j'ai mieux à faire que de draguer des filles et, de toute façon, elle s'arrête généralement là.

Depuis ma rupture avec Cindy, il y a un an, je me noie dans mon travail. Faut dire que six ans de vie commune, ça a un impact sur la personnalité des gens. J'ai pris un coup monumental quand elle est partie et, depuis, je récupère. Alors, mes cheveux, c'est bien la dernière chose qui m'intéresse.

Je suis mal rasé, aussi. Pas rasé de deux jours, en fait. C'est pas trop moche, mais ma mère dirait encore que je peux mieux faire. À m'entendre, on croirait que j'habite chez elle. Mais non, j'ai mon appartement, mon petit deux pièces au troisième étage sans ascenseur. Un truc bien sympa et surtout abordable. C'est juste que ma mère s'inquiète tellement depuis un mois que je fais assez souvent du camping dans son salon. Depuis que mon père l'a quittée, elle aussi a déménagé, donc il n'y a plus de chambre d'amis. De toute façon, le canapé, c'est moi qui l'ai acheté. J'avais l'intuition que j'aurais à m'en servir un jour. C'était deux mois avant que Cindy parte.

Je me frotte vigoureusement les joues, genre ça va me réchauffer les doigts. J'attrape le col de ma chemise sous mon pull et tire dessus pour essayer de lui donner un semblant de forme. J'arrive pas à croire que je suis resté habillé comme ça au boulot toute la journée sans que personne ne me dise rien. Ils ont dû comprendre qu'on était mercredi et que c'était jour de visite. Ils ont dû voir mon regard et ils ont dû la boucler. Par politesse. Par indifférence. Ou parce qu'ils n'attendent qu'une chose, c'est que je sois viré pour récupérer mon poste.

Forcément, depuis que j'ai insulté Cindy dans les couloirs en hurlant qu'elle couchait avec le patron, j'ai eu quelques remarques, mais depuis elle a changé de succursale et je suis un de leurs meilleurs éléments, alors ils ne veulent pas me perdre.

Dans le miroir, mes yeux gris me regardent. On dirait qu'ils sont fades comparés à mes cheveux noirs. Je passe ma main sur ma tête comme pour essayer de consoler ma mère et abandonne l'instant d'après. À quoi bon. Je ne cherche personne.

Un clapotis détourne mon attention vers la fenêtre. Merde. Il s'est mis à pleuvoir. Et j'ai pas envie d'aller me geler dehors en attendant ma mère et mon cousin. Je regarde autour de moi. Finalement, dans cette chambre, il fait plutôt chaud. La personne dort toujours et, vu les meubles parfaitement propres, elle ne donne pas l'impression d'être souvent visitée. Je réfléchis un instant au judicieux de la chose.

Si la personne se réveille, je peux toujours baragouiner un truc comme quoi je viens juste d'entrer et que je me suis trompé. Si quelqu'un arrive pour visiter, je peux balancer que je suis un vieil ami et m'éclipser. Faudrait peut-être juste que je connaisse le prénom avant.

Le calepin au bas du lit indique : « Elsa Bilier, vingt-neuf ans, traumatisme crânien, traumatismes sévères aux poignets et au genou droit. Contusions multiples, fracture du péroné en rémission. » La liste continue comme ça jusqu'à afficher l'un des mots les plus horribles jamais entendus sur cette planète.

« Coma. »

Effectivement, je ne risquais pas de la réveiller.

Je baisse le calepin et regarde la femme. Vingt-neuf ans. Dans cette position, avec les perfusions et les fils dans tous les sens, on dirait plutôt une maman de quarante ans prise dans une toile d'araignée. Mais en me rapprochant un peu, je lui rends ses vingt-neuf printemps. Un joli visage fin, des cheveux châtains, quelques taches de rousseur qui se perdent çà et là, un grain de beauté près de l'oreille droite. Il n'y a que la maigreur des bras qui dépassent des draps et le creux des joues qui pourraient me faire penser autrement.

Je regarde à nouveau le calepin et ma respiration se coupe.

Date de l'accident : 10 juillet.

Ça fait cinq mois qu'elle est dans cet état. Je devrais reposer le calepin, mais la curiosité me ronge.

Cause de l'accident : avalanche en alpinisme.

Il y a des fous partout. J'ai jamais compris pourquoi les gens allaient se foutre sur les glaciers, ces trucs gelés pleins de trous et de failles où tu peux mourir chaque fois que tu fais un pas. Elle doit le regretter à mort maintenant. Enfin, c'est une façon de parler. Elle doit sûrement pas réaliser ce qui lui arrive. C'est le principe du coma. T'es ailleurs et on sait pas où.

Soudain, j'ai l'affreuse envie d'échanger la place de mon frère contre celle de cette fille. Elle, elle s'est foutue là-dedans toute seule. Elle a fait de mal à personne, du moins je pense. Mon frère, il avait trop bu et il a quand même pris le volant. Il a tué deux gamines de quatorze ans. C'est lui qui devrait être dans le coma. Pas elle.

Je regarde une dernière fois le calepin avant de le poser.

Elsa. Vingt-neuf ans (née le 27 novembre).

Putain, c'est son anniversaire aujourd'hui.

Je sais pas pourquoi je fais ça, mais j'attrape le crayon-gomme relié au calepin et efface le vingt-neuf. Ça fait une sale trace mais peu importe.

— Ma belle, tu as trente ans aujourd'hui, je murmure en inscrivant le nouveau nombre avant de raccrocher le calepin.

Je la regarde encore. Il y a quelque chose qui me dérange et, au bout d'un moment, je comprends. À force d'être reliée à tous ces trucs, ça l'enlaidit. Si je débranchais tout, elle ressemblerait presque à une fleur de jasmin, avec l'odeur qui persiste dans la chambre. Il y a une polémique en ce moment sur le « on débranche », « on débranche pas ». Jusqu'à maintenant, j'avais pas d'avis. Là, je voudrais tout débrancher juste pour la rendre naturelle.

— Allez, comme t'es jolie, t'as droit à un bisou pour ton anniversaire.

Mes mots me surprennent moi-même, mais je m'applique déjà à pousser les quelques tubes qui entravent mon arrivée jusqu'à sa joue. À une si infime distance, le jasmin est clairement reconnaissable. Je pose mes lèvres sur sa joue chaude et ça me fait comme une décharge électrique.

Ça fait un an que j'ai pas embrassé une femme en dehors de la bise aux collègues. Il n'y a rien de sensuel ni de sexuel dans ce que je viens de faire, mais mince, je viens de voler un baiser de joue à une femme. L'idée me fait sourire et je m'écarte.

— T'as de la chance, il pleut dehors. Je vais te tenir un peu compagnie, fleur de jasmin.

Je tire la chaise vers moi et m'assois dessus. Ça doit pas me prendre deux minutes pour m'endormir.

3

Elsa

J'aimerais bien sentir quelque chose, mais rien. Rien du tout. Je ne sens absolument rien.

Par contre, si j'en crois ce que j'entends, ça fait dix minutes que quelqu'un est entré dans ma chambre. Un homme. Je lui donne la trentaine. Non-fumeur d'après sa voix. Mais c'est tout ce que je peux en dire.

Et je ne peux que le croire sur parole quand il dit qu'il m'a m'embrassé la joue.

J'espérais quoi ? Me la jouer Blanche-Neige ? Le prince charmant arrive, m'embrasse, et hop ! « Bonjour Elsa, moi c'est Machin, blablabla, je t'ai réveillée, viens qu'on se marie. »

Si j'y avais cru, j'aurais essuyé une cruelle déception, parce qu'il ne s'est rien passé de tel. C'est beaucoup moins intéressant. Je résume plutôt par : « Je suis un mec qui s'est trompé de chambre (enfin, je suppose, parce que sinon je ne vois pas pourquoi il aurait atterri ici) et qui squatte en attendant la fin de l'averse » (que j'ai commencé à percevoir il y a quelques instants). Et qui respire déjà profondément.

Je suis curieuse. La curiosité n'est pas quelque chose de chimique, je peux encore savoir ce que c'est. Donc, je suis curieuse de savoir qui est assis dans la chaise à côté de moi. Je n'ai aucun moyen de trouver la réponse, alors je me contente d'imaginer. Sauf que je laisse rapidement tomber. Jusqu'à présent, en dehors des médecins, des infirmières et de la femme de ménage, il n'y avait que des gens que je connaissais qui entraient dans cette chambre. J'avais éventuellement à imaginer leur tenue vestimentaire, mais c'était tout. Là, je suis bien embêtée, je n'ai pas un seul indice en dehors de sa voix.

Je la trouve plutôt agréable, d'ailleurs. En fait, ça change. C'est la première voix nouvelle depuis six semaines et je crois que, même si elle avait été rauque ou banale, je l'aurais aimée. Les copains de ma sœur ne parlent jamais, la seule chose que je perçois d'eux est éventuellement un échange de salive avec elle, ou alors ils restent dans le couloir. Mais cette nouvelle voix a vraiment un timbre particulier, quelque chose qui mélange à la fois légèreté et passion.

Ça a permis de confirmer la date d'aujourd'hui avec plus de facilité.

Ça fait effectivement cinq mois que je suis ici et, apparemment, ce serait mon anniversaire.

La seule chose qui me surprenne, c'est pourquoi ma sœur ne me l'a pas souhaité. Peut-être qu'elle pensait que c'était inutile. Ou peut-être a-t-elle simplement oublié. J'aimerais lui en vouloir, mais je ne peux pas. Pourtant, trente ans, ça se fête, non ?

Ça remue sur la chaise à côté de moi. J'entends le glissement d'un tissu et je reconnais le bruit de quelqu'un qui enlève un pull. Je l'entends bloquer sa respiration le temps de passer le col au-dessus de sa tête, les petits à-coups dans son souffle pour retirer les manches et dégager le buste. J'entends le pull être posé quelque part, puis, de nouveau, la respiration régulière.

Je suis sous tension. Du moins, je me plais à m'imaginer l'être. Toutes les parties de moi qui sont actives, à savoir uniquement mon audition, sont rivées sur cette nouveauté comme sur une bouée de sauvetage. Alors j'écoute, j'écoute, j'écoute. Et, petit à petit, je dessine dans ma tête.

Son souffle est paisible. Il a dû s'endormir. Le clapotis de l'eau sur la fenêtre est léger et je peux distinguer le bruit que fait le frottement de son T-shirt contre le plastique de la chaise. Il ne doit pas être très corpulent, sinon, il ne respirerait pas comme ça. Je tente de comparer avec des gens que je connais, mais on écoute rarement les gens respirer. Je le faisais des fois, avec mes ex, quand je me réveillais avant eux. Certains disaient que c'était ridicule et, en général, ceux-là ne faisaient pas long feu. Je me souviens d'un type qui respirait en trois temps, j'avais voulu rire sur le coup mais je m'étais retenue pour ne pas le réveiller. Celui-là non plus n'avait pas tenu longtemps.

De toute façon, mes histoires de cœur sont plutôt chaotiques. Beaucoup moins nombreuses et régulières que celles de ma sœur. J'en compte environ dix, de mémoire. Certaines courtes, d'autres bien plus longues. En ce moment, je suis célibataire. Il vaut mieux parce que je ne sais pas comment aurait réagi le mec face à mon coma. M'aurait-il laissée tomber dès le départ ? Aurait-il attendu ? Aurait-il avancé sans rien me dire ? Aurait-il écouté les médecins et serait-il venu me parler pour me dire que c'était fini ? Ça ne lui en aurait pas coûté beaucoup, il aurait été persuadé que je n'entendrais rien. Et il aurait eu raison pendant mes quatorze premières semaines de coma.

Donc, célibataire et soulagée de l'être. C'est déjà assez difficile d'entendre ma mère pleurer chaque fois qu'elle vient – pas envie de reproduire l'expérience avec quelqu'un d'autre.

Pendant que tous ces souvenirs me traversent, je reste concentrée sur mon visiteur hasardeux. Son souffle est devenu plus profond. Il s'est vraiment endormi pour de bon.

Je maintiens toute mon attention sur lui. Je ne veux pas que le temps s'écoule. C'est la seule distraction, la seule nouveauté, presque la seule chose qui me rappelle que je suis bel et bien vivante quelque part.

Parce qu'on ne peut pas dire que la régularité de ma sœur, des infirmières et des pleurs de ma mère me réjouissent. Là, ça fait comme un caillou lancé dans l'eau. Ça vient changer la donne. Ça me ferait vibrer si je pouvais bouger.

Je veux que le temps s'arrête, mais le temps ne s'arrête pas. Je n'ai que cette courte sieste qu'il s'autorise dans ma chambre. Dès qu'il sera parti, tout redeviendra comme avant. J'aurai juste eu un cadeau le jour de mon anniversaire. J'aimerais pouvoir sourire à ce que je pense.

Soudain, le loquet de la porte grince. J'entends des voix et tout mon être s'illumine de l'intérieur. Je reconnais Steve, Alex et Rebecca. Ils ont l'air en forme et parlent gaiement. Brusquement, j'ai envie de leur dire de se taire, pour ne pas réveiller mon visiteur. Mais comme d'habitude, je ne peux rien faire et, finalement, je suis curieuse de voir comment mon inconnu va expliquer sa présence.

Les bruits de pas et le volume sonore des voix m'indiquent que mes trois amis se rapprochent, puis qu'ils s'arrêtent d'un coup.

— Tiens, il y a quelqu'un ! s'exclame Rebecca.

— Tu le connais ? demande Alex.

Je suppose que Rebecca fait non de la tête. Je les entends contourner la chaise et les imagine se pencher sur mon visiteur.

— Bon, il dort, dit Rebecca. On le laisse comme ça ?

— Non, on le fout dehors, balance Steve.

— Il dérange personne, fait remarquer Rebecca. Et si c'est un ami d'Elsa, il peut célébrer l'occasion avec nous, tu ne penses pas ?

— Mouais…

J'imagine l'air ronchon de Steve. Je sais qu'il y a quelques années il avait un faible pour moi. Des filles qui font de l'alpinisme, ça court pas les rues, même quand tu habites en montagne. Rebecca a arrêté il y a trois ans, elle commençait à avoir trop peur. J'aurais peut-être dû l'écouter quand elle a tenté de me convaincre de la suivre. Mais non, trop passionnée. Du coup, Steve a craqué rapidement. Mais, à cette époque, j'étais en couple, donc je lui avais fait comprendre que je ne cherchais qu'un compagnon de cordée. Mes autres amis étaient trop grands pour moi, il fallait quelqu'un de ma corpulence. Steve est remarquablement bien proportionné. On faisait une équipe du tonnerre.

À partir du moment où mon refus a été clair, il s'est cantonné au rôle de grand frère. C'est agréable quand on a toujours été l'aînée de pouvoir se sentir rassurée par quelqu'un. Surtout qu'Alex et Rebecca sont ensemble, alors Steve a mis les bouchées doubles.

Et là, c'est exactement l'attitude qu'il est en train de prendre. Le grand frère qui ne veut pas qu'on touche à sa petite sœur.

— Allez, Steve, commence Alex. Qu'est-ce que tu veux qu'il se passe dans un hôpital ? Ça doit être un ami d'Elsa, et puis c'est tout ! Il s'est endormi. On va pas en faire toute une histoire. La question, c'est est-ce qu'on le réveille ou est-ce qu'on commence la fête sans lui ?

— Je crois qu'il vient de prendre la décision pour nous, soulève Rebecca.

Effectivement, j'entends mon visiteur se réveiller. Je visualise ses yeux qui s'ouvrent, qui se focalisent sur son environnement, et j'ai envie de rire quand je perçois sa surprise en découvrant les trois personnes qui le regardent.

— Qui t'es, toi ?

Steve n'a pas perdu son temps. Je parie qu'il est à dix centimètres du visage de l'inconnu, les yeux plissés en train d'imiter le rayon laser de Superman. Je compte jusqu'à cinq avant que mon inconnu réponde. Sa voix reste mélodieuse.

— Un ami.

— Mouais...

— Si, je te dis que je suis un ami.

Confirmation, il doit avoir la trentaine. Sinon, il n'aurait pas tutoyé Steve.

— Je te crois pas.

— Steve, interrompt Alex, arrête.

— Je le connais pas et je vois pas ce qu'il fout ici, rétorque Steve. C'est déjà la croix et la bannière pour accéder à cette aile de l'hôpital sans qu'on te fasse passer un scanner, je veux savoir qui il est et ce qu'il fait là !

— C'est justement pour ces mêmes arguments qu'il ne peut rien faire de mal ici !

— Mouais…

Mon inconnu se redresse et repasse son pull.

— Tu sais pas dire autre chose que « mouais » ?

Ouah. L'inconnu ne sait pas dans quoi il vient de s'engager. J'aimerais le prévenir, mais c'est trop tard. Je comprends que Steve l'a empoigné par le col et soulevé de la chaise.

— Pour qui tu te prends, toi ?

— Steve, arrête ! crie Rebecca.

— Merde ! Qui c'est celui-là ? répète Steve.

— Repose-le ! rajoute Alex. Et toi, tu t'excuses parce que, sinon, on n'est pas tirés d'affaire.

Alex, le preux chevalier. Je comprends pourquoi Rebecca est tombée amoureuse de lui.

— Pardon, déclare platement mon visiteur. Tu me lâches, maintenant ?

J'entends le grognement de Steve et son mouvement quand il laisse retomber l'inconnu. Je comprends ensuite qu'il s'est assis sur le lit, à côté de moi. Les draps se froissent près de mon oreille.

— Désolé Elsa, murmure Steve en me caressant les cheveux. Ça en fait, hein, du remue-ménage pour ton anniversaire ?

J'entends les larmes dans sa voix pendant quelques secondes. Il s'en veut toujours de ne pas avoir vérifié mon nœud, de ne pas avoir été assez fort pour m'empêcher de partir avec l'avalanche.

De ce que j'ai compris, c'est lui qui m'a retrouvée sous la neige. Le médecin a dit que c'était un miracle. Moi, je sais juste que c'est la connexion que j'ai avec lui qui nous a aidés. Un grand frère, ça protège toujours.

Mais aujourd'hui, je dois reconnaître que c'est un peu trop.

— Bon ! Elsa, on t'a apporté du gâteau, les trente bougies que tu voudrais sûrement pas souffler, mais on s'en fout parce que je t'y aurais forcée de toute façon, et un petit cadeau en prime.

Le ton de Rebecca me réchauffe (j'imagine qu'il me réchauffe). Elle déballe le contenu d'un sac plastique et c'est sûrement Alex qui l'aide à placer les bougies. Pendant ce temps, mon visiteur se lève.

— T'es sûr que t'es un ami d'Elsa, toi ?

Et voilà Steve qui remet ça. Si je sors de ce coma, il va m'entendre !

— Oui.

— Alors elle s'appelle comment ?

— Elsa. En même temps, ça fait au moins trois fois que tu le dis.

— Son nom de famille.

— Bilier. Et elle a trente ans aujourd'hui.

— Rebecca vient de la donner, cette info.

— C'est un interrogatoire, ou quoi ?

— On dirait.

Steve, le grand frère ultraprotecteur.

— Elle fait quoi comme études ?

Il se passe deux secondes avant que mon inconnu réponde.

— Elle fait pas d'études. Elle travaille.

— Dans quel secteur ?

De nouveau deux secondes.

— La montagne.

Je suis impressionnée. À tous les coups, il bluffe, mais il s'en sort très bien. Je me demande s'il ne me connaît pas, finalement.

— Et elle fait quoi, exactement, en rapport avec la montagne ?

Là, je perds tout espoir que mon inconnu devine. J'ai un métier peu courant.

Il se passe dix longues secondes. Alex et Rebecca sont en train d'allumer les bougies et je les entends murmurer entre eux. L'inconnu fait quelques pas dans la pièce puis s'arrête. Il a dû se retourner vers Steve.

— Écoute, commence-t-il. T'as raison. Je connais pas Elsa. Tout ce que je viens de dire, je l'ai déduit de ce qui est écrit sur le calepin au bas de son lit. Je suis simplement un visiteur qui s'est trompé de chambre. C'était calme, je me suis posé un moment. J'ai dérangé personne. Maintenant, je vais vous laisser.

Curieusement, Steve ne répond pas. Par contre, c'est Rebecca qui prend la parole.

— Tu veux pas rester avec nous pour les bougies ?

Là, mon inconnu doit être clairement surpris. Rebecca est comme ça, adorable et parfois trop naïve. Heureusement, son prince charmant est toujours là.

— Reste un peu, dit Alex.

— Je voudrais pas déranger, répond l'inconnu.

— Tu l'as dit toi-même, t'as dérangé personne. On sera quatre, ça ferait plaisir à Elsa.

Je sens qu'il hésite.

— D'accord.

L'inconnu se rapproche à nouveau et pousse la chaise. J'ai l'impression qu'il essaie d'aider Alex avec un truc dans un sac pendant que Rebecca attrape le calepin au bas de mon lit.

— Il n'y a pas beaucoup de progrès, apparemment, lance-t-elle en direction des autres. Il n'y a même rien de nouveau. Ah, si. Quelqu'un a changé son âge. Impressionnant qu'ils aient fait attention à ça.

— Euh… Non, c'est… c'est moi qui l'ai fait, dit l'inconnu. J'ai regardé les feuilles pour savoir comment elle s'appelait et j'ai vu que c'était son anniversaire aujourd'hui. Désolé si ça vous ennuie. J'aurais peut-être pas dû.

— Tu rigoles ? C'est super sympa !

— Vraiment ?

— Moi je trouve ça chouette que quelqu'un qui ne connaît pas Elsa prenne le temps de rectifier son âge sur ce calepin. Allez, tu le sors ce paquet, oui ou mince ?

— Ah, pardon. Tiens, le voilà.

— Passe-le à Steve. Je pense qu'il aimerait l'ouvrir. Même s'il sait pertinemment ce qu'il y a dedans !

Steve doit sûrement tendre le bras et se tourner face à moi. Rebecca pose le gâteau sur la petite table à côté. J'imagine l'odeur des fruits, la lumière des flammes et le sourire triste de mes amis.

— Bon... Joyeux anniversaire, ma chérie, dit Rebecca avant de souffler sur mes trente bougies.

— Joyeux anniversaire, Elsa, dit Alex.

— Joyeux anniversaire, toi, ajoute Steve.

De loin, le murmure de mon inconnu me parvient quand même aux oreilles.

— Joyeux anniversaire.

C'est prononcé doucement. Je n'arrive pas à savoir si c'est parce qu'il est gêné, triste ou autre chose. Mais c'est touchant. Profondément touchant.

— Tiens, ton cadeau, dit Steve en me ramenant à des choses plus concrètes. C'est une bague. T'as toujours dit que tu te marierais jamais et que t'en portais pas parce que c'est embêtant, du coup on t'en a pris une. Ça t'aidera peut-être à revenir plus vite si t'as envie de nous botter les fesses.

Je suppose que Steve la passe à un de mes doigts. Je ne sais ni quelle main ni quel doigt.

— Tu lui dis pas à quoi elle ressemble ?

L'intervention de mon inconnu a l'air de surprendre tout le monde.

— Ben, je sais pas, continue-t-il. S'il faut lui parler, autant tout dire, non ?

Le silence dure quelques instants.

— À toi l'honneur, ronchonne Steve, comme s'il était déçu de ne pas y avoir pensé plus tôt.

— Euh...

— Ben vas-y, quoi ! T'as raison !

— Bon… D'accord.

Mon visiteur se rapproche.

— Alors, on dirait qu'elle est en argent.

— C'est de l'or blanc, interrompt Steve.

— Ah, pardon. Je fais pas la différence.

— C'est plus résistant.

— O.K. Alors c'est de l'or blanc. Ils ont choisi ça parce que c'est plus résistant, comme ça, si t'as envie de donner un coup de piolet dessus, tu verras, il se passera rien.

J'aurais voulu rire, ou au moins sourire à la petite allusion.

— Ensuite, y a deux brins qui s'entrelacent sur tout le tour. Ça fait comme des lianes. Ou plutôt comme une sorte de tige de fleur. Ah ! Comme un buisson de jasmin, puisque tu as l'air d'aimer l'odeur !

Je reste stupéfaite. Comment a-t-il pu deviner ça ?

— Comment tu sais ? demande Steve, en écho à mes pensées.

— Ça sent le jasmin à plein nez dans cette pièce. Et ça vient d'elle.

— Tu conçois des parfums, ou quoi ?

— Non, je suis dans l'écologie, rien à voir. Je peux continuer ?

— Vas-y.

Je réalise que je suis impatiente de connaître la suite.

— Elle brille, elle est vraiment jolie. Et elle est à ton annulaire droit.

Je suis un peu déçue. J'en veux presque à Steve de l'avoir interrompu.

— Sinon, le gâteau est à la poire, continue l'inconnu. Rebecca t'a menti, elle a mis trente et une bougies rien que pour t'embêter, et je peux te dire que tu as de sacrés amis pour venir te souhaiter ton anniversaire après vingt semaines d'absence.

Là, le silence devient pesant. Pendant un instant, j'ai presque peur d'avoir perdu l'ouïe. Mais le clapotis des gouttes d'eau contre la fenêtre me rassure. J'entends quelqu'un se moucher. Je parie qu'il s'agit de Rebecca. Alex doit être en train de la serrer dans ses bras. Tout le monde cherche quelque chose à faire, comme pour dissiper la tristesse qui doit empester la pièce. Les parts de gâteau circulent et les cuillères frottent les assiettes en carton.

— Tu nous en dis plus sur toi ? demande Rebecca après un moment.

— Comment ça ? répond mon visiteur.

— Tu pourrais déjà commencer par te présenter, non ? On sait à peine comment t'es arrivé là. Moi, je suis curieuse d'en savoir plus sur un type capable d'en apprendre autant sur une inconnue en moins de cinq minutes.

— Je m'appelle Thibault. J'ai trente-quatre ans. Et je suis censé être dans la chambre de mon frère qui a eu un accident de voiture.

— Mince, j'espère que c'est pas trop grave, compatit Rebecca.

— Ça l'est un peu, il s'en remettra, mais j'aurais préféré que ce soit le contraire. Il a tué deux adolescentes au passage, parce qu'il était ivre. J'ai plus vraiment envie de le voir.

— Ah.

Le silence revient. Je médite ce que je viens d'apprendre. Le profil de mon inconnu se précise, mais il me manque encore quelques éléments essentiels. Je doute qu'un de mes amis le fasse se décrire.

Thibault. Il faut que je retienne ce prénom.

— Comment est-ce qu'elle est arrivée là ? demande-t-il soudain. À part « avalanche en alpinisme », je veux dire.

Steve se lève. Il arpente la chambre et commence à raconter ce que je sais déjà. Puis j'écoute sagement la suite, à partir du moment où ils m'ont retrouvée. J'apprends un détail supplémentaire : j'ai été héliportée. Dommage, j'avais toujours rêvé de prendre l'hélicoptère au-dessus de ce glacier et je n'étais même pas consciente pour voir ça. Mon visiteur pose quelques questions, jusqu'à ma préférée. J'aurais tellement voulu y répondre moi-même…

— Pourquoi est-ce qu'elle fait ça ? Je veux dire, pourquoi est-ce qu'elle fait de l'alpinisme ? C'est risqué, quand même, tous vos trucs.

— Elle a ça dans le sang, dit Steve.

— C'est pas suffisant pour moi, répond Thibault.

— Tu sais ce que c'est, le bonheur ?

— C'est une question piège ?

— Eh bien, Elsa, elle sait, répond Steve en ignorant la remarque. Quand elle marche là-haut, elle est elle-même, heureuse. Elle rayonne. C'est son élément, la montagne. Elle en a même fait son métier en plus de sa passion.

— Quoi, elle est guide ?

— Non, elle pouvait pas. Elle travaille pour l'institut qui fait les cartes de randonnées. Elle est spécialisée dans les zones glaciaires.

— Je savais pas que ça existait. Pourtant, j'ai déjà eu à utiliser ce genre de cartes.

— Ben voilà. La montagne, c'est elle. Quand tu marches avec elle sur un glacier, c'est comme si tu la voyais nue. Vulnérable au possible. Toutes ses émotions et ses sensations à vif. C'est un vrai cadeau qu'elle te fait.

— Ouah… T'es amoureux ?

Thibault a demandé ça avec sérieux. Et vu tout ce que vient de dire Steve, j'attends moi aussi la réponse.

— Je l'étais. Aujourd'hui, je suis juste une sorte de grand frère qui a raté sa mission.

— Dis pas ça. T'y peux rien si son nœud de nuit était pas bien fait.

— De huit, corrige Steve. Mais j'aurais dû le vérifier.

Rebecca évite au silence de revenir en récupérant les assiettes et les cuillères. Ça sent la fin de ma petite fête d'anniversaire, mon visiteur s'apprête à partir.

— Bon, merci pour le gâteau et merci de m'avoir permis de rester.

— T'es sûr que tu veux pas rester encore un peu ? propose Alex.

— Non, je vais aller retrouver ma mère et mon cousin. Ils doivent me chercher.

— D'accord. C'était sympa de te rencontrer.

— Vous aussi. Vous lui direz au revoir de ma part ?

— Tu peux le faire toi-même, tu sais, dit Rebecca.

Mon visiteur a l'air d'hésiter, puis je l'entends se rapprocher. Il était plus à l'aise tout à l'heure, quand il était seul avec moi.

— On l'embrasse sur le front, nous, précise Rebecca. C'est le seul endroit où il n'y a pas trop de fils.

— Ah, d'accord.

J'entends le bruit de ses lèvres sur ma peau, mais, comme précédemment, je ne sens rien. J'entends le murmure qu'il glisse le plus discrètement possible à mon oreille avant de se redresser.

— Au revoir, Elsa.

Il s'éloigne de mon lit. Les autres s'activent autour de leurs propres affaires.

— Merci encore, j'y vais.

— Tu peux revenir la voir, tu sais.

Bien entendu, c'est Alex qui a fait la proposition.

— Ah. C'est gentil. Merci. Je sais pas si...

— N'hésite pas, rajoute Rebecca. Ça lui fera plaisir d'avoir d'autres personnes qui viennent la voir. J'en suis sûre.

— Très bien. Au revoir.

La porte se referme. Mon visiteur est sorti. Le peu de joie que j'avais est parti avec lui.

— Steve ? appelle Alex. Tu dis rien depuis un moment. Ça t'ennuie que je lui aie proposé de repasser ?

— Non, ça va.

— Alors qu'est-ce qu'il y a ?

— Il vient de se mettre à neiger et elle adorait ça.

La tristesse pèse dans chacun de ses mots. Je me mets à penser que je préférais quand il n'y avait que Thibault. Il y avait moins d'émotion. J'écoute mes amis ranger leurs sacs et se rhabiller. Je les entends

m'embrasser sur le front un à un, sans aucune possibilité de leur répondre.

Quand la porte claque doucement, c'est de nouveau
le silence total. Même plus la pluie contre la fenêtre.
Même plus une respiration en dehors de la mienne.

J'aimerais qu'il revienne.

4

Thibault

Ma mère regarde par la fenêtre de la voiture et mon cousin est au téléphone à l'arrière. Moi, je conduis machinalement pour ramener tout le monde à bon port. Je connais le chemin par cœur, mais il faudrait que je prête plus attention à la route.

Impossible. Mon esprit est ailleurs.

Dans cette chambre. La 52. J'ai regardé en sortant. Il y avait une photo de montagne sous le numéro, un truc un peu spécial plein de glace. J'ai compris que c'était ce qui m'avait induit en erreur.

Quand je suis arrivé en bas de l'hôpital, mon cousin m'attendait déjà. Il a tenté de savoir ce que j'avais fait pendant tout ce temps. Vainement. J'ai pas décroché un mot. Quand ma mère est sortie, quelques minutes plus tard, elle avait les yeux rouges. Elle s'est un peu calmée maintenant. C'est comme si l'hôpital était un immense aimant à larmes, même si parfois il y a des surprises à la maison.

J'ai hâte de l'avoir déposée. Je supporte de moins en moins toutes ces émotions. C'est pas qu'elle ait tort, loin de là. Elle a le droit d'être triste, et je serais sûrement dans le même état s'il s'agissait de mon enfant dans ce lit d'hôpital, mais, comparé à la situation de la chambre 52, mon frère fait presque effet de placebo.

Ça m'a retourné plus que je n'aurais cru. J'étais juste parti pour dormir un peu et voilà que je me retrouve avec plein d'infos en tête. Ils étaient sympas, ces trois-là. Même le Steve, parce que, derrière ses airs de grand frère protecteur, il était juste inquiet. Et tellement triste. On aurait dit ma mère. C'est ce qui m'a le plus énervé chez lui. Il avait l'air jaloux aussi, mais de quoi, je sais pas. S'il n'est effectivement pas amoureux, il n'a rien à craindre. Et, s'il l'est, il n'a rien à craindre non plus, d'ailleurs.

La fille, Rebecca, est chouette. Un peu naïve mais agréable. Son mec, Alex, est franchement sympathique et très sociable. Ça vaudrait peut-être le coup de les rencontrer à nouveau pour se changer les idées. Mais je réalise que j'ai aucun moyen pour ça à part laisser un mot en plan dans la chambre 52 en disant : « Hello, c'est Thibault, le gars qui s'était endormi la dernière fois. Si vous voulez qu'on se revoie, voici mon numéro de téléphone. » Donc, c'est peine perdue.

La seule personne que je peux revoir, finalement, c'est celle à laquelle je ne peux pas parler. Parce qu'elle ne me répondra pas.

Elsa. La fleur de jasmin pleine de fils. J'ai pas demandé pourquoi y en avait autant. J'y connais absolument rien en médecine. Pourtant je suis dans la « médecine de la Terre », comme certains disent. Mais, pour le corps humain, je suis largué. Quand le médecin de mon frère avait commencé à m'expliquer ses traumatismes, j'avais décroché au bout de cinq secondes. Ma mère avait écouté patiemment, même si elle n'y comprenait rien non plus. Mon cousin, prof de sport, nous avait fait un semblant de traduction, mais, franchement, le policier derrière la porte me glaçait le sang, alors j'avais pas écouté grand-chose.

Heureusement, il n'y a plus de policier. Mon frère a rempli la déposition. Son jugement aura lieu dans quatre mois. Techniquement, c'est le temps qu'il lui faut pour se remettre de l'accident. En attendant, son appartement reste vide. Mon cousin et moi, on est passés vider le frigo et faire le ménage, histoire que ça devienne pas affreux pendant son absence. Déjà que c'était pas franchement génial, il n'aurait pas fallu que ça prenne des allures de taudis. On a d'ailleurs compris qu'il avait une copine en trouvant des sous-vêtements qui traînaient un peu partout. La fille ne s'est jamais inquiétée de quoi que ce soit, ou alors c'était qu'un coup d'un soir, parce que personne n'a appelé.

Je me gare sur le parking devant chez ma mère. La neige a commencé à recouvrir les voitures stationnées. Sur le goudron, ça ne tient pas du tout, mais il y a déjà une fine couche sur l'herbe. Je ne peux pas dire que j'aime la neige ou que je ne l'aime pas. Elle est là, je la prends comme elle est. Pour moi, c'est juste une respiration supplémentaire de la planète.

Mes deux passagers descendent. Mon cousin habite juste à côté de chez ma mère. C'est lui qui a trouvé l'appartement quand mon père est parti. Je sens la voiture se soulever, allégée de leur poids. Mon cousin repasse la tête par la portière.

— Tu viens pas ?

— Pas ce soir.

— Pourtant je pense qu'elle aimerait.

— Et moi, je pense que j'en suis incapable.

— T'es vache.

— Écoute, je viendrai demain. Mais là... pas ce soir.

Mon cousin me regarde, presque surpris que j'aie parlé de demain.

— O.K. Fais attention sur la route.

Il ferme la porte. Ma mère me regarde à travers la vitre et fait un signe de la main. Je lui renvoie un baiser et remets le moteur en marche. À peine passé le portail de la résidence, ça va mieux. Faut que j'arrête de passer trop de temps avec eux, leur déprime me déteint dessus. Je suis une vraie éponge.

Je conduis sans réfléchir jusqu'à prendre conscience que je ne suis pas du tout sur la bonne route. Je suis en train d'aller en ville. C'est peut-être ce que j'ai de mieux à faire. Je n'ai pas envie d'être seul ce soir, mais je n'ai pas non plus envie d'avoir de compagnie. Ça ne tourne pas rond dans ma tête. Heureusement, je sais exactement ce qu'il me faut pour ça.

— Allô, Ju ?

La voix de mon meilleur ami résonne dans le téléphone.

— Ouais, je sais, c'est pas bien en conduisant. Dis-moi, tu fais quoi ce soir ?... Ça te dit de sortir ? On se retrouve au pub ?... Quoi ? Tu peux pas plus tôt ? Bon... À tout à l'heure !

Je raccroche. Julien, ex-accro du boulot, nouvellement accro de sa fille de cinq mois. Par chance, sa femme est une de mes meilleures potes de fac, donc elle comprendra s'il lui explique qu'il doit venir me voir. D'après ce que j'ai entendu, il y avait encore une histoire de bain, de biberon et autres. Le mercredi, c'est vrai que c'est son tour. Ils se sont trouvé un rythme parfait, ces deux-là ! J'en suis jaloux, même si je ne cherche personne. C'est ça que je voudrais atteindre. Cet équilibre.

Avec Cindy, c'était pas un équilibre, c'était la tempête chaque jour. Je me défendais en disant que c'était une autre sorte d'équilibre. J'avais franchement tort. Quand je vois ce que Julien et sa femme ont réussi à construire, ça donne juste envie. Mais quand on sort d'une relation comme la mienne, on se demande si on est encore capable d'aimer.

Alors, en attendant, j'aime mon travail, j'aime mes amis, j'aime ma mère même si elle chiale à n'en plus finir, mais j'aime plus mon frère. Ma vie se résume à ça depuis un certain temps. Identifier ce que j'aime et ce que je n'aime pas. C'est pas facile.

Ah si, j'aime pas ces imbéciles qui savent pas se garer dans les parkings gratuits parce qu'à cause d'eux t'es obligé d'aller payer pour trouver une place correcte. Et c'est ce que je dois faire ce soir.

Quitte à sortir le portefeuille, je choisis le parking le plus proche du pub. J'aurai peut-être deux cents mètres à faire à pied, à tout casser. C'est parfait parce que, avec la neige, j'aurais eu encore plus froid. Je me gare, correctement, pour ne gêner personne. Je range bien le ticket dans ma poche pour ne pas me faire avoir comme la dernière fois, où j'ai passé deux heures à le chercher alors que je l'avais oublié sur le tableau de bord, et je rejoins le pub en courant.

Une fois entré, c'est le soulagement. Il fait chaud. Les gens parlent, rient, il y a de la bonne musique et une petite table encore libre. Je m'y installe et place deux sous-verre en face de moi pour montrer que j'attends quelqu'un. Les codes comme ça, c'est rassurant. On ne viendra pas me demander si la chaise est libre ou pas.

Je commande un jus de poire. Le serveur me regarde avec perplexité. Je réponds que je conduis et ça lui suffit. Limite il me félicite. Je sais que Julien prendra une bière. Je taperai peut-être un peu dedans, histoire de me faire plaisir, mais je n'aime pas boire avant de conduire. Il aurait fallu que mon frère soit aussi raisonnable.

J'ai pas mon jus de poire en main depuis cinq minutes qu'une nana se plante devant moi.

— Elle est libre, la chaise ?

Je désigne le sous-verre non occupé.

— Ah, pardon, j'avais pas vu. T'attends quelqu'un ?

— Oui. Un copain.

J'ai hésité à répondre « ma copine », voire « mon copain », pour rire un peu, parce que la fille se comporte bizarrement. Ça sent la drague à plein nez. Pourtant, ce pub est plutôt réputé pour son aspect bon vivant et pas du tout le genre dragouille-speed dating. Je souris en pensant aux remarques de ma mère. Faut croire que mes cheveux en bataille, ça repousse pas tout le monde. Mais celle-ci, elle doit juste avoir envie que je lui paie un verre. Je hais ce genre de rencontres.

— Ça te dit si je te tiens compagnie jusqu'à ce qu'il arrive ?

Dans ma tête, ça ne fait ni une ni deux, j'ai comme un livre-dont-vous-êtes-le-héros qui se prépare à être ouvert. Si vous voulez affronter le dragon, allez page 62. Si vous préférez vous cacher, allez page 33. Elle, elle vient de tirer le choix ultime. Page 0.

— T'es certainement très bien foutue, mais t'as pas l'intelligence de piger si quelqu'un est disponible ou pas. C'est assez subtil, je sais, et visiblement, la subtilité, c'est pas ton truc. Je me demande même si tu sais ce que ça veut dire. Donc, désolé, ça ne me dit absolument pas que tu me tiennes compagnie jusqu'à ce que mon pote arrive.

La fille est outrée, mais je me demande sincèrement si elle a compris tout ce que j'ai dit. À voir sa réaction, elle ne doit pas avoir l'habitude de se faire décliner comme ça, mais je ne suis pas d'humeur.

Faut croire qu'elle a fait passer le message, ou que le sous-verre vide en évidence sur la table fait son effet, car plus personne ne vient me déranger jusqu'à ce que Julien arrive. Il est presque 20 heures. Il a de la neige dans les cheveux.

— Ouah ! Quel temps ! s'exclame-t-il en s'asseyant face à moi.

— C'est que de la neige, je fais remarquer.

— Mais il caille, répond-il en enlevant ses gants.

— À qui le dis-tu…

Julien retire sa veste et fait signe pour commander une bière. Je relève mon verre de jus de poire et le gars au comptoir approuve de la tête.

— Alors, qu'est-ce qu'il se passe ? me demande Julien avec un air sérieux.

— Rien de bien particulier. On est mercredi.

— C'était la visite à ton frère, c'est ça ? T'y vas aussi à d'autres moments, non ?

— J'emmène ma mère, plus exactement.

— Tu veux toujours pas le voir ?

— Non.

— Bon, alors, qu'est-ce qui va pas ?

— Pourquoi tu me demandes ça ?

— Thibault... C'est écrit partout sur toi. Et tu m'aurais jamais appelé à 18 heures alors que tu sais que c'est moi qui gère Clara les mercredis soir si c'était pas important.

— Elle va comment, Clara ? J'espère que je vous ai pas trop embêtés avec Gaëlle...

— T'inquiète pas, Gaëlle a pris le relais sans problème, et Clara va super bien. En bonne santé, le pédiatre a dit qu'elle était en pleine forme. C'est toujours O.K. pour être parrain, d'ailleurs ?

— Oui, c'est toujours O.K. C'est un amour, ta gosse, comment tu voudrais que je change d'avis ? Et si elle continue comme ça, je vais finir par l'épouser !

— Pfff, rigole Julien. Bon, c'est une histoire de fille alors ?

— Non. Enfin... peut-être. Mais ça n'a rien à voir avec ce que tu penses.

— Alors ça a à voir avec quoi ?

Je pose mon verre et m'enfonce dans ma chaise.

— Ça a à voir avec une fille, des amis à elle, mon frère, la police, des fils de partout, du jasmin et des trajets en voiture jusqu'à l'hôpital.

— Ouh là ! Attends, j'ai rien suivi, là.

Le serveur arrive avec une bière et mon jus de poire. On le remercie et je remplis de nouveau mon verre. J'en renverse un peu sur la table et essuie maladroitement.

— Tu démêles un peu tout ça, s'il te plaît ?
demande Julien.

— Ouais… Attends.

Mes mains collent et j'attrape un mouchoir dans
mon sac. J'en ai toujours sur moi depuis que j'emmène
ma mère à l'hôpital.

— C'est un truc qui m'est arrivé tout à l'heure.

Et je lui raconte mon après-midi hasardeux. Julien
est silencieux tout du long et m'écoute patiemment.
Quand j'ai fini, il reste muet en me regardant.

— Tu dis rien ?

— Ben, qu'est-ce que tu veux que je dise ? répond-
il. C'est plutôt marrant !

— Marrant ? J'aurais pas choisi ce mot.

— Bon, curieux, ça va mieux ? Mais ce qui m'intrigue, c'est pourquoi ça te remue autant la tête. Tu
t'es trompé de chambre, c'est tout !

Julien attend que je lui explique. Il va avoir la
réponse que j'ai en tête depuis trois heures.

— Pourquoi est-ce que j'ai envie d'échanger la
place de cette fille contre celle de mon frère ?

Julien devient soucieux. Je le vois dans ses yeux.

— Tu veux dire que tu voudrais qu'elle soit réveillée et que ton frère soit dans le coma ?

— Exactement.

— Tu sais très bien pourquoi.

— Non, je sais pas.

— Arrête, Thibault. T'as toujours pas digéré que
ton frère ait renversé ces deux filles. Et franchement,
personne ne peut t'en vouloir. À ta place, je serais

dans le même état. Cette fille, Elsa, elle a l'air bien
et tu voudrais qu'elle soit réveillée, comme tous ceux
qui ont un cœur sur cette planète. Alors, c'est normal
de penser ça.

— Un cœur... Je voudrais ne plus jamais revoir
mon frère et tu penses quand même que j'ai un cœur ?

— Tout le monde a un cœur, Thibault. Reste juste
à savoir ce qu'on en fait. Le tien, il est en mille morceaux depuis Cindy. Et en un million depuis l'accident. Tu te dis que si tu faisais quelque chose pour
réveiller cette fille, ça te permettrait peut-être d'en
recoller quelques-uns. Histoire de commencer à te
pardonner de penser ça de ton frère.

Je suis sidéré, comme toujours, mais c'est pour ça
que Julien est mon meilleur ami. Pour la première
fois en un an, je sens les larmes qui me montent aux
yeux, mais non, je ne peux pas. Pas ici. Pas dans ce
pub bondé. Pas un mercredi soir.

— Viens, on sort, me dit Julien.

— Quoi ?

— T'es en train de craquer.

Julien vide son verre et me force à terminer le mien
rapidement. Deux minutes après, on est sur le trottoir
blanc. J'avais raison, il caille. Julien m'attrape par le
bras et me traîne un peu plus loin de la porte. Je fais
gaffe à rien, j'ai comme un voile devant les yeux et
je sais que ce n'est pas la neige.

— Vas-y, me dit-il.

Je craque. Deux mecs dans les bras l'un de l'autre,
on voit rarement ça dans la rue. On s'imagine souvent
qu'ils sont gays. Là, si quelqu'un passe, je le laisserai
bien penser ce qu'il veut. Je veux juste vider toute

cette eau qui m'obstrue la vue. Je veux cracher toute cette salive qui m'encombre la bouche. Je veux hurler mon désespoir à la terre entière.

Je me contente de pleurer sur l'épaule de Julien qui me serre contre lui. Ça fait des mois que j'ai pas eu la chaleur de quelqu'un. Celle d'un meilleur ami est vraiment réconfortante. Ça dure quelques minutes, puis le froid prend le dessus. Julien me tend un mouchoir, il en a tout le temps lui aussi, mais à cause de la naissance de sa fille.

— Tu viens à la maison, dit-il.

— Pardon ?

— Tu viens dormir à la maison ce soir, je te laisse pas rentrer dans cet état.

— J'ai pas bu, je renverserai personne.

— Je sais que t'as pas bu ! T'as toujours été sobre, et depuis un mois plus que jamais, mais là t'es trop en vrac pour être seul cette nuit. Elle est où, ta voiture ?

— Au parking payant juste à côté.

— O.K., file-moi tes clés, c'est moi qui conduis.

Je m'exécute sans rien dire et suis Julien jusqu'au parking. Je paie la note pour le stationnement et m'installe dans le siège passager. Ça fait toujours bizarre dans sa propre voiture.

Julien conduit bien. Je me laisse bercer. Il n'habite vraiment pas loin alors c'est vite réglé. Il était venu à pied. Quand on entre enfin chez lui, sa femme arrive avec le sourire.

— Thibault ! s'exclame-t-elle doucement, sûrement parce que la petite dort.

— Bonsoir, Gaëlle, je réponds en souriant. Désolé pour l'intrusion.

— Ne t'excuse pas, dit-elle en m'embrassant les joues. Julien m'a prévenue par téléphone. Je t'ai même préparé ton lit dans la chambre de Clara. Faudra juste pas ronfler trop fort, et, je suis désolée, mais tu seras réveillé vers 4 heures du matin pour le biberon.

— Pas grave, c'est ma petite princesse, je lui en voudrai pas. Mais... Julien t'a prévenue ? T'as fait ça quand ? je demande à Julien en me tournant vers lui.

— Par message sur mon téléphone pendant que tu me pleurais dans les bras.

— Salaud, t'étais même pas concentré sur moi !

— T'étais en train de ruiner ma veste, fallait que je trouve rapidement une solution.

— Quand vous aurez fini de vous taquiner, interrompt Gaëlle, il reste de quoi manger dans la cuisine. Thibault, je t'ai sorti une serviette, si tu veux prendre une douche.

— Merci, Gaëlle, c'est vraiment gentil.

— Tu ferais pareil pour nous, me répond-elle.

— Merci quand même.

J'enlève ma veste et me déchausse pendant qu'ils échangent un baiser rapide et deux, trois informations sur la petite. Gaëlle me dit que je peux aller voir Clara et poser mes affaires car elle ne dort pas encore.

Quand j'entre dans la chambre, je suis dans une autre dimension. Avant, c'était le bureau de Julien ; maintenant, il a délocalisé tout ça dans le salon, si bien que même le canapé-lit a atterri ici. Il reste juste une banquette non dépliable dans le séjour parce que c'est impossible d'ouvrir un matelas. Leur appartement n'est pas très grand, mais ils ont réservé une place de choix à leur fille.

Je me penche au-dessus du lit à barreaux. Clara me voit arriver tel un extraterrestre. Elle remue doucement les doigts et affiche son visage angélique. Ils ont vraiment bien travaillé, Gaëlle et Julien.

Je délaisse ma petite princesse pour regarder autour de moi. Le canapé-lit est ouvert, la couette et l'oreiller ont l'air franchement confortables. Ça me fait même plus d'effet que la nana dragueuse de tout à l'heure. Je ressors doucement de la chambre et rabats la porte derrière moi. Gaëlle est dans le salon en train de regarder la télé et Julien m'attend dans la cuisine.

J'hésite à me mettre à table, mais maintenant que les larmes ont coulé je me rends compte que j'ai terriblement faim. Pendant le repas, on parle de tout et de rien. Pas mal de Clara aussi, mais, logique, un enfant, ça devient ta priorité ultime. Je débarrasse la vaisselle avec Julien et Gaëlle nous dit qu'elle va se coucher. Elle devra se lever vers 4 heures quand la petite pleurera pour son biberon. Je propose de m'en charger pour lui permettre de dormir.

— Tu ferais ça ?

— Avec plaisir. Faut que je sois un parrain exemplaire, non ?

— C'est super, merci beaucoup. Ça nous permettrait de faire une nuit complète tous les deux.

— Alors, c'est où l'attirail ? je demande en regardant la cuisine.

— C'est tout là, dit-elle en désignant un coin du plan de travail. T'auras juste à passer ça au bain-marie.

Gaëlle nous embrasse et part dans sa chambre. Je dis à Julien que je vais prendre une douche.

L'eau chaude me fait un bien fou. Je traîne un peu, même si je sais que c'est pas bon pour la planète. C'est vraiment exceptionnel, et puis, je ne vais pas bien, alors la planète, aujourd'hui…

Quand je sors, Julien me dit qu'il va se coucher lui aussi. Je reste devant la télé un petit moment puis coupe le tout. J'ai même pas un bouquin sur moi mais, de toute façon, je ne suis pas sûr d'avoir envie de lire.

J'entre silencieusement dans la chambre de Clara et me glisse sous la couette. Le contact des draps me frigorifie. C'est merveilleux quand quelqu'un est là pour les réchauffer, mais je n'ai pas ce quelqu'un et, encore une fois, je me demande si je suis prêt à trouver ce quelqu'un.

J'entends les murmures de Julien et Gaëlle au travers des deux portes entrebâillées. Puis des froissements de draps. Je crois que je leur ai accordé bien plus qu'une nuit complète. Ça ne me gêne pas de savoir qu'ils font l'amour dans la pièce à côté. Je sais qu'ils partagent un moment merveilleux.

Je m'endors, mais, vers 2 heures, j'ai de nouveau les yeux grands ouverts. Je remue dans mon lit en faisant le moins de bruit possible. Ma visite à l'hôpital tourne dans ma tête comme des vêtements dans une machine à laver. Lentement, les minutes passent, jusqu'au moment où j'entends Clara s'agiter. Je vais en cuisine faire chauffer le biberon puis reviens avec le coussin d'allaitement. Je ne sais pas qui a pensé à ça, mais c'est magique pour éviter de te tuer les muscles pendant que le bébé tète. La première fois que j'ai donné son biberon à Clara sans ce truc, j'ai galéré comme tout. Julien, lui, s'en passe.

J'attrape délicatement Clara avant qu'elle ne se mette à pleurer pour de bon et la cale entre le coussin et moi. Je me suis réinstallé dans mon lit, adossé au mur pour être plus à l'aise. Elle place sa petite bouche autour de la tétine. Le bruit de succion me berce lentement. Je repose le biberon à côté quand elle a terminé. Nous nous rendormons ainsi, dans les bras l'un de l'autre.

5

Elsa

Je me demande jusqu'à quand je ne vais qu'entendre. Je me demande si un jour je vais me réveiller pour de bon. Je sais, d'après les médecins, que je ne suis presque pas capable de respirer seule. Je sais qu'ils font des tests régulièrement et je sais que je tiens seulement quelques heures avant qu'ils me considèrent de nouveau trop faible pour continuer à respirer par moi-même. La mécanique du corps est vraiment particulière. Mais aussi miraculeuse. Comment est-ce que je peux continuer à respirer, même pendant quelques minutes, alors que je ne ressens absolument rien ?

Si je sors de ce coma, c'est encore une chose que j'aurai à demander. Il va en baver, mon médecin qui ne se montre que tous les huit jours. Ce sera un vrai interrogatoire.

On est samedi. Ça fait trois jours que ma sœur est venue, il en reste quatre avant qu'elle revienne. Peut-être que mes parents passeront aujourd'hui. Après tout, c'était mon anniversaire, mercredi.

Et c'était chouette. J'ai pu écouter mes amis qui n'étaient pas venus depuis un moment. J'ai pu les imaginer manger du gâteau, souffler mes bougies et ouvrir mon cadeau. Et j'ai pu découvrir quelqu'un.

Thibault. J'ai retenu le prénom. C'est étrange, j'avais peur de l'oublier. Pourtant, ma mémoire n'est absolument pas affectée par mon état végétatif, mais j'avais peur quand même. Et, pour la première fois depuis six semaines, je n'ai pas revécu mon accident en rêve. Je n'ai pas non plus eu de rêve en particulier. C'était juste noir et profond. Suffisant pour dire que c'était reposant.

Ce matin, l'aide-soignante est passée faire ma toilette, comme tous les matins. Elle m'a lavée presque en entier. Elle a arrangé mes cheveux, enfin, j'espère qu'elle n'en a pas fait un fouillis abominable. Ils sont assez dociles, mais s'occuper d'un corps inerte ne doit pas être évident. Je l'ai entendue les brosser, après, je ne sais pas trop. Ce n'est pas toujours facile de savoir ce que les gens font autour de moi. Il faut des références pour comparer. Comme je n'ai aucun souvenir de ma mère en train de me coiffer, je suis incapable de dire ce que l'aide-soignante a fait. Je sais en revanche qu'elle a oublié de me mettre du baume sur les lèvres parce que je n'ai pas entendu le frottement visqueux de la pâte. Vingt-quatre heures, c'est pas dramatique, et c'est pas comme si je tenais la conversation à quelqu'un, mais c'est vrai que j'y tiens, à mes lèvres.

Au travail, je passais toujours un tube en moins d'un mois. Certains dégainent le téléphone dans la rue comme une roue de secours, moi je dégaine le baume à lèvres en montagne toutes les heures. Sinon, c'est du carton que j'ai autour de la bouche, et ce n'est pas agréable.

Pour qui ? me direz-vous. Pour moi. Pas spécialement pour les hommes que j'embrassais, mais plutôt parce que je les embrassais. Le contact des lèvres entre elles est un vrai miracle. J'aime embrasser, je n'y peux rien. Jamais de rouge à lèvres, par contre, même pas pour les grandes occasions. Ça endort les sens.

Et aujourd'hui, l'aide-soignante a oublié. Je crois que quelqu'un l'a appelée dans le couloir. Elle s'est dépêchée de finir et est partie en catastrophe. Depuis, je n'entends que le remue-ménage d'un après-midi d'hôpital. Il y a beaucoup de monde qui vient visiter le samedi. Sauf chez moi.

Ah, si. Pardon, je dis une bêtise. J'entends le loquet de ma porte. Je reconnais la démarche de ma mère et celle, plus appuyée, de mon père. Ils murmurent tous les deux. Je n'aime pas. On dirait qu'ils viennent de rentrer dans une morgue. J'ai envie de crier que je suis toujours là, vivante, à côté d'eux, mais ils continuent à parler à voix basse comme s'ils ne voulaient pas que j'entende.

— ... est en droit de se poser la question. Ça fait près de cinq mois, Henry.

— Comment est-ce que tu oses dire ça ?

Le grognement de mon père se distingue même dans son murmure.

— Je me mets à sa place, répond ma mère. Qu'est-ce que je penserais de tout ça ? Est-ce que je persévérerais ?

— Comment peux-tu imaginer ce que ce serait d'être à sa place ?

— J'essaie ! Et arrête de me contredire juste pour m'énerver !

— Je cherche les pour et les contre. On est en train de parler de débrancher notre fille. Pas de la couleur de notre prochain tapis !

Si je pouvais sentir mon sang couler dans mes veines, je l'aurais aussi senti s'arrêter. Déjà parce que mon père venait plus ou moins de prendre ma défense. Ensuite, parce que mes parents réfléchissaient au fait de couper mon assistance électronique.

— Mais peut-être qu'elle continuera à respirer ? tente ma mère.

— Ça fera comme chaque fois, en deux heures, elle sera en train de s'asphyxier.

— Peut-être qu'elle ne veut plus se battre.

— Arrête de penser pour elle, rétorque mon père. Tu n'en sais rien.

— Henry !

— Quoi ?

— Réfléchis sérieusement à la question !

Il se passe un moment de silence. Je ne sais pas si mon père a répondu par un geste ou s'il est encore en train de ruminer.

— D'accord, j'y réfléchirai. Mais pas aujourd'hui.

Je fuis délibérément la suite de leur conversation. Je suis ailleurs. Je divague, délire presque, seule avec mes pensées. Il y a de quoi perdre la tête à se parler à soi-même. Écouter les autres y met parfois encore plus de chaos.

Je reprends conscience de leur présence au moment où ils se lèvent pour partir. Il faudrait que j'arrête de faire ça. Ces personnes viennent là pour me voir, pour me parler. Elles espèrent peut-être que je les écoute. C'est le cas de ma sœur, au moins. Et moi, je ne leur accorde que cinq minutes d'attention, quatre au début, une à la fin. Mais, après tout, je m'en fiche. Comment pourraient-elles bien le savoir ?

Mes parents quittent la chambre. Je n'ai même pas un baiser, ou alors il était si léger que je n'ai pu l'entendre.

Je me prépare à me retrouver seule avec moi-même quand le loquet grince à nouveau. Ma mère a dû oublier un vêtement ou un foulard quelconque. Mais ce n'est pas sa démarche, ni celle de mon père. Elle est plus légère et en même temps hésitante. Ça ne peut pas être ma sœur parce qu'elle se serait manifestée directement. C'est peut-être l'aide-soignante qui vient finir son travail du matin. Qui sait, elle s'est peut-être souvenue qu'elle ne m'avait pas mis de baume à lèvres.

— Bonjour, Elsa.

Le murmure me parvient aux oreilles comme une brise. Le prénom resurgit dans mon esprit avec la force d'une tempête. Thibault. Il est revenu. Je ne sais pas pourquoi. J'ai envie de croire que c'est parce qu'il en a envie. Peu importe, il est là, ça va me faire du neuf, même s'il vient juste dormir.

— Ça sent toujours autant le jasmin dans cette chambre. Mais qui est-ce qui te met tout ça ?

L'aide-soignante, j'aurais voulu répondre, avec le flacon d'huile essentielle que lui a passé ma mère. Peut-être qu'elle a la main un peu lourde.

— C'est pas grave, ça sent bon quand même.

Je l'entends quitter une veste, je l'entends même délacer ses chaussures. Il a l'intention de se mettre à

l'aise, ce qui signifie qu'il va rester. J'aimerais bondir
de joie.

Les chaussures sont posées dans un coin, la veste
sur le meuble derrière. Un pull ou un sweat-shirt
également. Il doit faire chaud dans ma chambre. J'ai
la confirmation quelques instants plus tard.

— Qu'est-ce qu'il fait chaud ici ! Je reste en T-shirt,
tu m'en veux pas ? T'inquiète, j'arrête de me déshabiller, faut savoir rester courtois quand même.

Je l'écoute avec avidité, même si j'ai du mal à comprendre son comportement, son allure, sa présence.
Pourquoi est-il revenu ?

— Tu dois te demander pourquoi je suis là, hein ?
J'ai accompagné ma mère voir mon frère. Il est dans la
chambre 55, je ne sais pas si tu te souviens. En même
temps, je vois pas pourquoi tu te souviendrais de
quoi que ce soit. Tu dois certainement pas m'entendre
non plus, et je parie que si je te touche le bras, tu
ne sentiras rien. Bon sang, je suis en train de parler
dans le vide… Qu'est-ce qui me prend ?

Je comprends son désarroi, mais j'aimerais quand
même le gifler pour lui remettre les idées en place et
lui dire de continuer à parler. Personne ne lui a dit
qu'il fallait parler aux gens dans le coma ?

— J'y connais rien, au coma, reprend-il soudain.
J'ai jamais connu quelqu'un qui y était et, si je peux
éviter, ça m'arrange. Il me semble qu'on m'a dit qu'on
pouvait parler, alors je vais parler. Mais j'ai pas le
moindre espoir que tu m'entendes. C'est peut-être
pas plus mal, ça fait une séance de psychothérapie
gratuite avec l'assurance que personne n'ira répéter ce
que je vais dire. Avant, je vais ouvrir la fenêtre parce

que, même moi qui suis frileux, j'ai chaud comme pas permis. Je te demande pas ton autorisation, tu pourrais pas me la donner de toute façon.

Je suis agréablement surprise. C'est la première fois que quelqu'un n'est pas condescendant avec moi. D'habitude, tous ceux qui viennent me voir font des pirouettes pour rester polis, gentils et outrageusement à mon service. Thibault est le premier qui considère qu'après tout, puisqu'on m'a presque reléguée à l'état de légume, il n'y a pas à faire de courbettes pour rester dans ma chambre.

J'entends la fenêtre glisser et l'air se faufiler. Je m'imagine frissonner.

— Brrrrr ! Je vais pas rester là non plus ! s'exclame Thibault. Voilà, ici ce sera bien, rajoute-t-il en tirant une chaise vers le côté gauche de mon lit.

Une sonnerie légèrement étouffée se fait entendre.

— Merde, j'ai pas éteint mon téléphone. Excuse-moi, je prends l'appel. Même si tu t'en fous complètement.

J'ai envie de rire. Et soudain, j'ai envie de pleurer. Ou, plutôt, j'ai envie que mon corps soit capable de pleurer. Pas de tristesse, mais de joie. Thibault est également la première personne qui m'ait donné envie de rire en six semaines. Même les blagues pourries du présentateur radio de la femme de ménage n'avaient pas réussi.

À peine a-t-il décroché, je l'entends se métamorphoser en consultant en écologie.

— Attends, qu'est-ce que tu me racontes là ? Non, ce dossier n'est pas encore validé ! Le service des eaux n'est pas passé… Oui, je sais que pour un projet éolien, on s'en fout pas mal du service des eaux, mais c'est la loi... Quoi, ils te mettent la pression, les supérieurs ?... Ah, tu vois qu'ils s'en foutent. Alors ?... Ah... Écoute, on est samedi, détends-toi. La Terre va pas exploser d'ici à lundi, à moins qu'un diplomate à la noix ne s'amuse à faire sauter une bombe nucléaire. Et là, ce serait le carnaval avec deux mois d'avance. On n'accorderait plus aucune importance à ce projet éolien. Alors souffle un peu, et on voit ça ensemble lundi matin. Je peux venir plus tôt si tu veux. Ça te rassurerait ?... O.K., va pour 7 heures alors. Mais ça se paiera de me faire lever aussi tôt... Ben, je sais pas... Un jus de poire ?... Ouais, avec plaisir !

Thibault se met à rire. J'ai l'impression que c'est le son le plus merveilleux que j'aie jamais entendu. Aussitôt, dans ma tête, je dessine ce rire. Je l'associe à une flamme scintillante, à des ailes dorées s'élevant et s'abaissant au gré de sa voix. À chaque éclat de rire, elles éclaircissent progressivement le noir qui m'entoure. Je m'accroche à ces ailes l'espace d'un instant. Quand son rire s'arrête, je m'efface comme les flammes. Thibault reprend sa conversation.

— À lundi, 7 heures, alors !

Il raccroche et pianote sur son téléphone.

— Voilà, c'est éteint. Ça ne nous dérangera plus. Enfin, ça ne *me* dérangera plus.

Je l'entends ranger l'appareil dans une poche de sa veste et se rasseoir sur la chaise en plastique.

— C'est pas confortable du tout, ces chaises. Ils pourraient mettre des trucs un peu plus rembourrés. Tu t'en fous pas mal, mais pour les gens qui viennent te voir, ce serait mieux. Peut-être qu'ils resteraient plus longtemps.

Ce que raconte Thibault n'est pas si bête, mais je doute qu'il prenne le temps de le dire au personnel de l'hôpital.

— Je suis sûr que si t'étais dessus, tu penserais pareil. On essaiera un jour, si tu veux. Si tu peux, plutôt. Je sais même pas comment j'ai fait pour m'endormir là-dessus la dernière fois !

Il glisse dans la chaise et pose ses pieds sur mes draps. Quelques instants après, il respire profondément. Mais comment fait-il pour s'endormir aussi vite ? Ses nuits doivent être merveilleuses ! Ou alors, c'est peut-être l'inverse et il se venge les après-midi.

Toujours est-il que, comme la première fois, je l'écoute respirer. Longtemps.

J'écoute aussi le vent. Je dois avoir un arbre pas très loin de ma chambre. Ma sœur me décrivait la couleur des feuilles à l'automne. Ce sont peut-être ces mêmes feuilles qui sont en train de tomber. J'aimerais entendre le bruit des graviers et des conversations en bas, mais je suis au cinquième étage. J'aimerais entendre la circulation, les coups de Klaxon, mais tout le monde sait que c'est interdit aux abords des hôpitaux.

J'ai froid.

Non. Qu'est-ce que je raconte ? Je ne peux pas avoir froid. Je viens juste d'*imaginer* que j'avais froid.

Peut-être que je m'endors à un moment. Je ne sais pas vraiment, parce que j'entends toujours la même chose. Le vent et la respiration fluide de Thibault. Je voudrais qu'il se réveille pour me parler à nouveau sans condescendance. Mon vœu s'exauce quelques instants plus tard, quand je l'entends remuer.

— Argh… Pas agréable du tout.

Il doit se frotter les yeux et s'étirer en retirant ses pieds du lit.

— La prochaine fois, je prends un coussin !

Il compte revenir. Si seulement je pouvais hurler de joie.

— Et la prochaine fois, j'ouvre pas la fenêtre. Toi, t'as peut-être rien senti, mais là il caille vraiment ! Laisse-moi enfiler un truc avant d'aller fermer.

La fenêtre glisse. Le vent cesse de faire danser les feuilles.

— Ma mère doit se demander où je suis passé. Surtout que je lui avais dit de m'appeler. Quel imbécile !

Il cherche son téléphone et le rallume. Une sonnerie indique un message.

— Ouais, c'est ça. Elle m'attend. Seulement depuis deux minutes. Heureusement ! Bon, faut que j'y aille.

Il lace ses chaussures, passe sa veste, enfile des gants. Ce son-là, je le connais bien, je l'ai pratiqué tant de fois sur mes propres mains que je l'identifie sans souci. Thibault se rapproche, je sais ce qui va venir et je m'en réjouis à l'avance.

— Viens par là que je t'embrasse. Enfin, façon de parler.

Comme le premier jour, il décale les fils me reliant à mes assistants électroniques. Son baiser est à peine plus long que la fois précédente et je le situe à peu près au milieu de ma joue. Il est le seul à oser pousser tous ces trucs.

— Tes joues sont fraîches. J'aurais peut-être pas dû l'ouvrir, cette fenêtre. Mais… C'est pas des lèvres, que tu as ! s'exclame-t-il en se redressant. C'est du papier journal ! Rah, bon sang, elles sont pas payées pour ça, les infirmières ?

Il s'éloigne et j'entends des portes de placard claquer.

— Ils laissent vraiment rien, ici ! Mon frère a les lèvres d'une actrice américaine botoxée et, toi, ils t'oublient ? C'est pas normal, ça. N'importe qui aurait envie de les embrasser, tes lèvres !

Le silence est net juste après ça. J'ai l'impression qu'on vient de donner un coup de ciseaux dans une bande sonore, mais non, j'entends un peu de raffut dans le couloir. Je me demande pourquoi Thibault s'est interrompu si brusquement. Peut-être qu'il a trouvé le pot de baume à lèvres.

— Je vais prendre le mien.

Non, il n'a pas trouvé. Et, étrangement, sa voix a changé. Elle est moins dynamique, plus basse. Presque gênée.

— Tiens, voilà. Ça ira mieux comme ça. J'ai jamais mis de baume à lèvres à personne. J'ai jamais mis de rouge à lèvres à mes ex non plus, alors on va dire que c'est correct. Et même si t'es pas d'accord, ça change rien.

Le tube est refermé avec un petit clac.

— J'y vais. À la prochaine ? Pfff… Tu me répondras pas, de toute façon. J'ai qu'à t'imaginer en train de me dire d'aller me faire voir, ce serait peut-être une bonne chose aussi. Comme ça, j'aurai pas à expliquer

à mon meilleur ami que je suis revenu te voir pour
je ne sais quelle raison.

Il s'arrête là. J'entends un soupir. Je prends ça pour
un au revoir. J'imagine qu'il sourit. Si possible avec
sincérité et pas avec tristesse. Les pas s'éloignent, le
loquet grince, la porte se referme.

Vivement la semaine prochaine.

6

Thibault

— Tu étais où ?
— En vadrouille.
— Ah.

Ma mère baisse la tête et regarde ses chaussures. Elle doit les connaître par cœur, vu le temps qu'elle y passe depuis un mois.

— Tu as fait quoi ? poursuit-elle.
— J'ai dormi.
— Ah bon ?
— Oui.

Je n'ai pas menti, mais je sais que le petit interrogatoire va durer encore un peu. Il faut que je pèse chaque mot pour ne pas avoir à déballer la vérité complète.

— Tu as trouvé un endroit pour ça ? s'étonne-t-elle.
— Un endroit. Calme.

Là non plus, je n'ai pas menti. J'ai même ajouté une information en espérant qu'elle s'arrête là et, effectivement, c'est le cas.

Elle aime poser des questions, ma mère, mais elle se résigne assez facilement. Je ne sais pas si c'est de la résignation qu'elle ressent par rapport à mon frère.

Je ne sais pas du tout ce qu'elle ressent en fait, en dehors de cette tristesse qui transpire dans chacun de ses gestes et de ses regards. Je me sens indigne. Ma mère est en détresse totale à côté de moi, et je ne fais rien de plus que dormir chez elle trois fois par semaine. Elle ne fait rien pour moi non plus, mais ce serait quand même sacrément égoïste de lui demander de s'occuper de moi dans un moment pareil. Alors je me lance.

— Comment tu vas ?

Ma question la surprend, au point qu'elle arrête de marcher même s'il ne nous reste que quatre mètres pour arriver à la voiture.

— Pourquoi tu me demandes ça ?

— Il serait temps que je le fasse, non ? Alors, comment tu vas ?

— Mal.

— Ça, je l'avais deviné. Je cherche les détails, maman.

Elle me regarde comme si elle voulait découvrir l'arnaque dans une publicité. Comme quand j'avais huit ans et qu'elle cherchait la bêtise sous ma gueule d'ange.

— Ton frère est un meurtrier du dimanche, mais il reste mon fils.

Je viens de prendre une douche froide. Son ton est neutre au possible. Pendant tout ce temps, j'ai cru qu'elle était faible et qu'elle ne savait pas quoi faire de ses émotions. Je me suis lamentablement trompé. Ma mère est la personne la plus forte que je connaisse, elle pleure juste un peu trop facilement.

— Comment est-ce que tu arrives à concilier les deux ? je lui demande.

— L'amour que je lui porte, qui est exactement le même que je ressens pour toi.

— C'est suffisant pour lui pardonner ?

— Ce n'est pas à moi de pardonner quoi que ce soit...

Je connais la suite par cœur parce que je l'ai déjà entendue plein de fois.

— Parce que ce n'est pas à toi de juger, je complète.

Elle hoche la tête.

— Nous n'avons, ni toi ni moi, aucun jugement à porter. Ton frère a déjà assez à se juger lui-même. Et même si j'ai passé votre enfance à vous dire de ne pas vous juger, là, je dois reconnaître que c'est plutôt une bonne chose qu'il ait autant de temps pour réfléchir. Je suis présente pour lui s'il a besoin de moi. Je regrette juste de ne pas avoir été suffisamment rigoureuse dans mon éducation pour lui faire comprendre qu'il n'aurait pas dû prendre le volant il y a un mois.

— Avec moi, ça a marché.

— Pas avec lui, soupire-t-elle.

— Ne t'accuse pas !

— Je ne m'accuse pas. Je regrette que les vies de deux adolescentes aient été volées. Maintenant, ton frère est un adulte. Il doit se débrouiller avec sa conscience.

Elle reprend sa marche et s'arrête à côté de la porte passager. Je me rapproche à mon tour et déverrouille la voiture. Sa tête dépasse du toit.

— Pourquoi est-ce que tu pleures autant, alors ? je demande sans la regarder.

— Parce que mon fils ne va pas bien.

— C'est sa faute ! je rétorque.

— Certes, mais il ne va pas bien, et c'est mon rôle de mère d'être là pour lui.

— Alors tu iras le voir comme ça jusqu'à son jugement, et tu continueras même quand il sera en prison ?

Je sens la colère monter en moi, mon ton devient de plus en plus agressif.

— Oui, murmure-t-elle.

Elle ouvre la porte et s'assied à l'intérieur. Je suis encore dehors, la main sur la poignée. Je prends une profonde inspiration pour me calmer et entre à mon tour dans la voiture.

— Tu sauras quand tu auras des enfants, me dit-elle une fois que je suis installé.

— Pour l'instant, j'en ai pas.

— Pour l'instant…, répète-t-elle.

La conversation s'arrête là. Je suis sur les nerfs. Mais, pour la première fois, il y a quelque chose de positif, ma mère ne pleure pas. Je pense que notre échange l'a secouée. Elle ne s'imagine pas à quel point il m'a secoué, moi.

Je la dépose devant chez elle quinze minutes plus tard en lui expliquant que je resterai à mon appartement quelques nuits. Elle accepte sans montrer aucune émotion. J'ai l'impression d'avoir ramené un corps vide à la maison. Finalement, je préférais presque quand elle pleurait.

J'arrive chez moi frigorifié. Le chauffage de ma voiture est capricieux et aujourd'hui était jour de grève. Je passe sous une douche brûlante pour me remettre à température ambiante et j'en sors avec la peau rouge. Dans le miroir, mes cheveux ne ressemblent toujours à rien. Je sais que c'est peine perdue d'essayer de les domestiquer.

J'attrape le rasoir et m'attaque à ma petite barbe de trois jours. Ce n'est pas dans mon habitude de faire ça un samedi. Généralement, c'est plutôt le lundi avant d'aller au travail. Mais là, je me sens d'humeur.

Je crois que c'est surtout que ça m'occupe les mains pendant que mon esprit s'agite. Parce que, dès que j'ai fini de me raser, je me mets à faire le ménage dans mon appartement.

Je repense à ce que ma mère m'a dit. Tu sauras quand tu auras des enfants. Parmi toutes mes incertitudes du moment, c'est bien la seule chose dont je sois sûr. Je veux des enfants. La naissance de Clara a fini de me convaincre. Elle a même convaincu tous mes amis qui attendent désespérément que je trouve l'âme sœur. Si seulement ils acceptaient de comprendre que je ne la cherche pas encore…

Quand j'ai dormi chez Julien, l'autre nuit, je me suis endormi avec Clara dans les bras. C'est Gaëlle qui nous a surpris tous les deux, vers 8 heures du matin. Elle a même pris une photo avant de nous réveiller. Je l'ai sur mon téléphone. Je la garde précieusement. Comme ça, je pourrai montrer à ma filleule comment son parrain la serrait contre lui quand elle n'avait que quelques mois.

Je suis en train de passer l'aspirateur, alors je n'entends pas la sonnette tout de suite. Ce n'est qu'une fois que j'ai arrêté la soufflerie digne d'un avion à réaction que je remarque que quelqu'un s'acharne sur le bouton. J'enfile un T-shirt et je manque de me prendre les pieds dans le fil électrique de l'aspirateur sur le chemin de l'entrée.

— Bonj... Cindy ?

Mon ex me fait face, son carré blond toujours aussi impeccable, sa taille de guêpe encore plus marquée que dans mes souvenirs. Je reste pantois, la bouche à moitié ouverte, la main immobile sur le loquet.

— Bonjour, Thibault, répond-elle. Je peux entrer ?

Je bégaie comme un imbécile et finis par me décaler en lui désignant le salon. Cindy passe devant moi et m'embrasse sur la joue. Je referme la porte, toujours muet. Quand je me retourne, elle est en train de quitter son manteau et ses chaussures à talons. Je reconnais les bas noirs et la jupe qu'elle porte. Le chemisier est une nouveauté, mais je dois admettre qu'il lui va très bien.

Elle remarque que je la regarde et sourit. Je reprends mes esprits et cours enfiler un pantalon.

— Qu'est-ce que tu fais ? demande-t-elle.

— Je m'habille, dis-je depuis ma chambre.

— Tu étais habillé, me fait-elle remarquer.

— Pas pour recevoir quelqu'un.

— Oh, ce n'est que moi. On s'est déjà vus nus, alors un short, ça allait...

Je sais qu'elle a raison, mais je préfère quand même passer un pantalon. Je trouve un jean en vrac sur un fauteuil et l'enfile en vitesse. Quand je reviens dans le salon, Cindy est assise sur le canapé et se frotte les pieds.

— Quelle torture, ces talons ! se lamente-t-elle.

— J'ai jamais compris pourquoi vous mettiez ça.

— Parce que ça donne une jolie ligne. Tu ne trouves pas ?

— Je...

— Tu aimais ça, pourtant, quand...

Elle ne termine pas sa phrase. Elle n'a pas besoin. On connaît tous les deux la fin. Mon éducation de garçon poli et courtois me sauve la mise en me propulsant dans la cuisine.

— Tu veux boire quelque chose ?

— Je prendrais bien du vin, si tu en as.

— J'ai peut-être ça au fond d'un placard, mais je te garantis rien.

— Ah oui, c'est vrai. Monsieur Jus-de-fruits, rajoute-t-elle en riant.

Je fouille dans les placards et finis par trouver une bouteille. À tous les coups, elle date de notre rupture, quand mon frère avait voulu me consoler avec une petite fête improvisée. Je reviens avec deux verres pleins. L'un de vin, l'autre de jus de poire.

— Tu bois quoi, toi ? demande-t-elle.

— Comme d'habitude.

— Ah.

Je me demande si elle se souvient de mes préférences. On a vécu ensemble pendant très longtemps, mais j'ai toujours trouvé qu'elle restait « globale ». Ça m'allait, sur le coup, mais, après réflexion, je me dis que ça manquait de sincérité. Je connaissais le moindre recoin d'elle, mais elle ne s'intéressait aux détails que lorsque c'était nécessaire.

— Bon, alors... Pourquoi tu es là ? je demande après lui avoir donné son verre.

— Oh, tu perds pas ton temps ! s'exclame-t-elle en buvant une gorgée.

— Tu dois admettre que ma surprise est plutôt normale, non ?

— Tu as raison. Mais je passais juste pour prendre des nouvelles.

Mon livre-dont-vous-êtes-le-héros s'enclenche dans ma tête. Si Cindy veut venir prendre des nouvelles, allez en page 15. Je suis en page 15 et il y a marqué : « Alerte ! »

— Ah, je réponds platement. Ben, comme tu vois, rien n'a changé.

Ou presque, je me rajoute à moi-même, mais j'ai pas envie de lui parler de mes derniers jours.

— Comment va Julien ? demande-t-elle. Gaëlle a accouché ?

— Oui, d'une petite Clara. Elle est merveilleuse.

— Gaëlle ou Clara ?

— Les deux.

Elle prend une autre gorgée de vin et repose son verre. Mon téléphone est sur la table, juste à côté.

— Tiens, si tu veux la voir, dis-je en l'attrapant.

Je comptais lui tendre le téléphone, mais Cindy se lève et vient s'asseoir à côté de moi. Je fais défiler les photos jusqu'à celle de Clara et moi endormis. Elle l'observe longuement sans rien dire, puis me regarde.

— Très jolie. C'était il y a longtemps ?

— Quelques jours seulement.

— Ah, tu as dormi chez eux ?

Je hoche la tête. J'ai l'impression qu'elle a aussi un livre-dont-vous-êtes-le-héros en marche. Le mien s'est bloqué page 80, « Restez courtois ».

— Et toi, alors ? dis-je pour éviter un silence trop inconfortable. Quoi de neuf ?

— Oh, j'ai changé de service, mais ça me plaît bien.

— Tu es sur quel secteur ?

— Le Sud-Ouest.

— C'est sacrément loin d'ici !

— Oui, mais je fais encore quelques allers-retours. Comme ce week-end. Voir la famille, les amis.

— Je fais partie des amis ?

Là, je viens de faire un petit écart dans la page 80, en virant momentanément sur : « Embêtez-la un peu. » Mais elle ne semble pas gênée par ma question.

— Bien sûr ! s'exclame-t-elle.

— Ah…

— Pourquoi, je ne suis pas une amie ?

Ça sent la question à dix mille euros. Page 77 : « Soyez sincère. »

— C'est un peu délicat de dire que tu es une amie, étant donné le passé qu'on a tous les deux et particulièrement la façon dont on a mis fin à notre relation.

— Tu m'en veux toujours ?

À vrai dire, j'en sais rien, mais je n'ai pas envie de me lancer dans des explications sans fin.

— Non, c'est bon.

— Alors pourquoi tu ne pourrais pas me considérer comme une amie ?

Elle me fixe avec ses grands yeux. Elle s'est élégamment maquillée de façon à les faire ressortir et je peux sentir son parfum. Elle n'en a pas changé, si j'en crois mes souvenirs, puisque je reconnais la fragrance que j'ai respirée pendant des années. Je m'écarte légèrement pour prendre un peu de recul. Quand s'est-elle autant rapprochée ?

— Hein, Thibault ? Dis-moi. Pourquoi ?

Sa voix s'est transformée en chuchotement. Je perçois sa respiration et, cachée derrière le parfum, l'odeur de sa peau. Les souvenirs s'agitent dans ma tête et j'ai envie de les chasser. Mais en même temps…

— Je… Je ne sais pas. C'est… difficile ?

Je trouve ma réponse ridicule, mais c'est la seule que je réussis à donner.

Cindy me dévisage intensément et, pendant un instant, j'ai le flash de toutes ces fois où elle me regardait ainsi. Je vois le même souvenir passer dans ses yeux et son livre-dont-vous-êtes-le-héros lui donne une solution plus rapide que le mien. Ses lèvres sont sur les miennes l'instant d'après. Je réponds à son baiser presque par réflexe.

Presque.

Une partie de moi se délecte du contact.

Une autre a envie de vomir.

Je sens Cindy attraper ma main pour la placer autour de sa taille pendant qu'elle laisse courir la sienne dans mon dos. Elle m'attire vers elle. Je l'allonge brusquement contre le canapé.

— Intéressant, murmure-t-elle en me fixant avec désir. Je ne savais pas que tu aimais autant prendre le dessus.

— Il y a beaucoup de choses que tu ne savais pas sur moi, je réponds froidement.

Je vois dans ses yeux que mon ton la surprend. Je me dépêche de poursuivre avant que mon désir ne s'impose à nouveau.

— Qu'est-ce que tu fais là, Cindy ?

Elle se fige. Son livre-dont-vous-êtes-le-héros n'a visiblement pas la réponse à ça.

— Non, je reprends, en fait, tu n'as même pas besoin de répondre. J'ai une petite idée et, concrètement, je m'en fous pas mal.

Je me lève. Cindy est toujours allongée sur le canapé. Son regard a changé. Elle m'observe comme si elle essayait de choisir entre un torchon et une serpillière. Je ne lui en veux pas, je dois probablement afficher la même chose.

— Va-t'en.

Elle reste muette mais s'exécute. Je la regarde renfiler ses chaussures, reboutonner le haut de son chemisier (quand l'avait-elle défait ?). Je lui tends son manteau et ouvre la porte avant même qu'elle l'ait mis.

— Tu as changé, me dit-elle en passant le seuil.

— Si seulement tu avais appris à me connaître, tu te serais épargné la peine de venir.

— J'aurai au moins essayé…

Je claque la porte sans en rajouter.

Le « soyez courtois », ça fait un moment que je l'ai oublié.

Sur la table, il y a encore son verre à moitié rempli et mon jus de poire auquel je n'ai pas touché. J'attrape le verre à pied, pars en cuisine et le vide, ainsi que la bouteille complète. Je jette le tout dans mon bac à recyclage, je n'ai pas envie de revoir ce verre un jour.

Quand je retourne au salon, je n'ose même plus regarder mon canapé. Je vais chercher une couverture dans ma chambre et l'étale dessus. Ça va déjà mieux. Je saisis la télécommande et allume la télé. Je sirote le jus de poire sans vraiment prêter attention aux commentaires du présentateur.

C'était humiliant.

Voilà pourquoi je ne cherche personne.

7

Elsa

On est lundi. Je ne recevrai la visite de personne.
Ces journées sans visite sont devenues terriblement
longues. Surtout depuis que Thibault est entré dans
mon semblant de vie. Avec un peu de chance, il
viendra peut-être voir son frère, ou plutôt emmener
sa mère voir son frère. Mais, en pleine semaine, il
y a des risques qu'il travaille trop pour trouver le
temps.

J'écoute l'aide-soignante faire sa ronde. Cette fois-
ci, elle n'oublie rien. Je la trouve même un peu longue,
pour le coup ! On dirait qu'elle me prépare pour
une cérémonie, ou je ne sais quoi. Elle a même l'air
d'insister sur mes lèvres, comme si elle s'était rendu
compte qu'elle les avait oubliées la dernière fois.

Elle termine en silence, comme tout le reste de la
toilette, puis quitte la chambre. Quelques minutes plus
tard, la porte s'ouvre bruyamment et un concert de
voix et de claquements de pas entre dans ma chambre.
Je suis impressionnée par le monde. Pourquoi autant
de personnes ?

Je capte quelques termes médicaux au milieu du brouhaha. Quand il y a trop d'informations, je n'arrive plus à comprendre ce qui se passe. Mais j'ai assez de flair (façon de parler) pour repérer le médecin en chef et son groupe d'internes. Le médecin doit être celui qui vient de claquer des mains car le bruit s'apaise aussitôt et le silence se rétablit progressivement.

D'après les respirations, je dois avoir au moins cinq internes ou stagiaires autour de moi. Je suis devenue un sacré cas d'école ! Le médecin en chef est au pied de mon lit. Il attrape le calepin où sont notés mes « états de service », comme j'aime à les appeler. Ça fait un moment que personne n'y a rien inscrit.

— Voilà le cas 52, commence le médecin. Traumatismes multiples, dont un crânien. Coma sévère depuis près de cinq mois. Je vous laisse lire les détails.

Génial, je suis devenue un numéro, en plus d'un cas particulier…

Le calepin passe apparemment de main en main sans y rester plus de quelques secondes. Il doit y avoir une règle chez les médecins, celle de ne pas garder trop longtemps une feuille sous les yeux. Peut-être que ça les dérange de relire tous ces trucs, ou alors ils préfèrent voir par eux-mêmes. Ou peut-être qu'on les forme à capter le fond d'un problème en cinq secondes. Si c'est ça, ils peuvent revoir le contenu de leur formation. J'aimerais bien qu'il y en ait un qui se penche sur le cas 52 pendant plus de cinq secondes, histoire qu'il découvre que je suis capable d'entendre.

— Voici une copie de l'imagerie que l'on a de son cerveau. Ce sont les clichés les plus parlants, bien entendu. J'ai mis ceux faits à son arrivée en juillet et ceux d'il y a deux mois. J'attends vos commentaires.

Cette fois-ci, ils prennent un peu plus de cinq secondes. Je les entends chuchoter mais délaisse les détails. C'est beaucoup trop technique pour moi et je sens le stress qui les envahit. Ils donnent l'impression d'être en pleine évaluation.

— Alors ? demande le médecin. Qu'est-ce qu'on peut dire ?

Un des internes sur ma droite prend la parole.

— Son imagerie s'est améliorée entre juillet et novembre ?

— Effectivement, mais j'aurais aimé plus de détails. Vous devez toujours justifier pourquoi vous pensez ça. J'attends ces arguments par écrit pour demain dans mon bureau. Ça vous fera bosser un peu ce soir.

J'entends les murmures de protestation, mais les internes se calment rapidement.

— Quoi d'autre ? reprend le médecin.

— Monsieur ? appelle un autre interne.

— Oui, Fabrice ?

— On peut parler sincèrement ?

— On parle toujours sincèrement, ici. Même si ce n'est pas toujours la vérité.

— On peut aussi éviter les détours ? demande l'interne prénommé Fabrice.

— Entre nous, oui, répond le médecin. En présence des proches, ce n'est pas envisageable. Toujours adapter son discours aux personnes devant vous. Là, vous pouvez y aller, nous vous écoutons.

— Euh… Elle est foutue ?

J'entends de petits ricanements, mais les glousse-ments s'interrompent rapidement.

— C'est clair que c'est sans détour, Fabrice, fait remarquer le médecin. Mais effectivement, vous avez raison. D'après toutes les données que vous avez sous les yeux, les commentaires des différents médecins qui sont passés et l'absence notable de progrès au cours des trois derniers mois, cette personne frôle les deux pour cent de probabilité de rémission.

— Deux pour cent seulement ? demande le pre-mier interne.

— Dans le cas hypothétique où elle se réveillerait, nous ne savons pas à quel degré son traumatisme aura affecté ses capacités. Au vu des zones touchées, nous pouvons penser au langage, à la motricité de la moitié droite, à une insuffisance nerveuse prononcée au niveau des surfaces de préhension, à l'incapacité respiratoire que nous avons déjà constatée, à…

Je me force à penser à autre chose. J'essaie déses-pérément de m'éloigner de ce que le médecin est en train de dire. Je ne veux pas l'entendre prononcer une parole de plus. Pourtant, entendre est la seule chose que je sois encore capable de faire et, pour la première fois, j'aimerais ne pas pouvoir.

Je m'accroche à des pensées furtives. La seule qui me vienne à l'esprit et sur laquelle j'arrive à me stabi-liser est Thibault. Je ne connais quasiment rien de lui, alors il m'est possible d'imaginer des tas de choses. Je me laisse divaguer un moment, mais la voix du médecin finit par me ramener à lui.

— … donc, deux pour cent.

— C'est quasi zéro, ça, non ? demande un interne que je n'avais pas encore entendu.

— Quasi, oui. Mais nous sommes des scientifiques, et nous ne faisons pas dans le *quasi*.

— Alors, ça veut dire que…, commence l'interne.

— C'est zéro, termine le médecin.

Un chariot tombe avec fracas dans le couloir, comme pour frapper la sanction de mon état. Les internes sont en train de griffonner des notes. Le médecin doit être content de lui. Son étude de cas, le 52, est terminée. Il peut passer à autre chose. Mais ce n'est apparemment pas encore fini.

— Quelle est la prochaine étape ? demande-t-il.

— Mettre la famille au courant ? propose le tout premier interne qui était intervenu.

— Exact. J'ai déjà commencé une approche il y a quelques jours pour qu'ils réfléchissent.

— Qu'est-ce qu'ils ont dit ? Si ce n'est pas indiscret…

— Qu'ils y réfléchiraient. La mère semblait résignée, le père contre. Vous observerez souvent ce genre de situations. Il est très rare que les proches soient tous d'accord. C'est presque un effet naturel de contradiction. On ne parle pas légèrement de mettre un terme à l'aide électronique d'un patient plongé dans le coma.

Je n'aime pas la façon dont le médecin parle de mes parents, mais je dois reconnaître qu'il a raison.

— Je trouve cependant que c'est ce que nous venons de faire, dit soudain le tout premier interne.

Je tends l'oreille, encore plus que précédemment. La remarque a même dû surprendre le médecin en chef, car celui-ci ne répond pas tout de suite.

— Vous pouvez vous expliquer, Loris ? dit-il d'une voix se voulant neutre, mais cachant difficilement une certaine forme de raideur.

— Les termes que nous venons d'utiliser, les approximations que nous venons de faire. Vous dites qu'on ne doit pas parler légèrement de mettre fin à l'assistance électronique d'un patient plongé dans le coma, pourtant, il me semble avoir entendu Fabrice dire qu'elle était *foutue*, et je crois bien avoir perçu un passage de deux pour cent à zéro pour cent. Si ce n'est pas parler avec légèreté, je crois que nous n'avons pas le même langage.

Si j'avais pu bouger, j'aurais embrassé cet interne. Mais je crois que j'aurais d'abord eu à le défendre parce que, vu le ton du médecin en chef, je pense que Loris va avoir des gardes de nuit pendant un bout de temps.

— Vous remettez en cause le diagnostic de vos confrères et futurs collègues ?

— Je ne remets rien en cause, monsieur, se défend l'interne. Je trouve juste étrange d'être aussi cru avec une personne qui, aux dernières nouvelles, est toujours en train de respirer devant nous.

— Loris, reprend le médecin comme s'il essayait de se rendre lui-même un peu plus patient, si vous ne pouvez pas supporter le fait d'avoir à débrancher quelqu'un, vous n'avez rien à faire dans ce service.

— Il ne s'agit pas de supporter ou de ne pas supporter, monsieur. Il s'agit de traiter les faits. Vous dites deux pour cent. Pour moi, c'est deux pour cent. Ce n'est pas zéro. Tant que nous ne sommes pas à zéro, j'estime que nous avons encore de l'espoir.

— Vous n'êtes pas là pour espérer, Loris.

— Alors je suis là pour quoi ? répond l'interne, volontairement insolent.

— Pour conclure que ce cas est réglé. Résolu. Fini. Il est impossible de rétablir la chaîne vitale de cette patiente. Comme a dit votre collègue, elle est foutue. Et peu m'importe si le terme ne vous convient pas.

Là, je crois que c'est tout son internat que le jeune Loris va effectuer de nuit.

Ma chambre est silencieuse. J'imagine Loris soutenir le regard de son instructeur pendant un moment, puis baisser les yeux. J'imagine tous les autres faire semblant de rédiger un compte rendu rapide. Au moins, la session est terminée. C'est éprouvant d'être le témoin de ce genre de situation, surtout quand elle vous concerne. Mais il faut croire que je me suis encore trompée.

— Tenez, Loris, puisque vous semblez si attaché à cette patiente, vous allez vous-même noter les conclusions de notre passage.

J'entends mes états de service se déplacer sur ma droite. Quelques grattements de crayon plus tard, le calepin repart vers le médecin.

— Hmm… Bien résumé, Loris. Si vous n'étiez pas aussi entêté, je vous choisirais sûrement une fois que vous aurez fini votre internat. Mais vous avez néanmoins oublié un détail.

— Lequel ?

Le jeune interne ne semble plus très loquace et je peux le comprendre. Ce médecin commence à m'échauffer sérieusement les oreilles.

— Sur la première page, reprend le médecin. Nous pouvons ajouter ceci.

— Qu'est-ce que ça signifie ? demande un autre interne.

— Loris ? appelle le médecin. Vous pouvez répondre à votre collègue ?

Je me représente parfaitement les poings serrés et la mâchoire crispée de l'interne qui n'a fait que prendre ma défense depuis son entrée dans ma chambre. Je ne sais en revanche absolument pas ce qui a été rajouté sur la première page de mon dossier.

— Ça signifie que nous déclarons officieusement notre intention de la débrancher et que nous attendons simplement l'accord de la famille pour décider d'une date.

8

Thibault

Je me sens bien aujourd'hui. Même si je me suis levé plus tôt que d'habitude.

J'ai aidé un collègue sur un des projets éoliens. J'ai eu droit à une bouteille de jus de poire. C'était un excellent cadeau que j'ai terminé rapidement, mais j'avais déjà un bon pressentiment dès mon réveil.

Quand je comprends pourquoi en cours de matinée, j'ai presque envie de rire.

Nous sommes lundi, et je suis censé emmener ma mère à l'hôpital ce soir. C'est la première fois que j'envisage le trajet avec le sourire.

— Thibault ? C'est quoi cet air niais sur ton visage ?

Je sors brutalement de mes réflexions et découvre le collègue que j'ai aidé ce matin. Il me regarde par en dessous, comme s'il essayait de lire quelque chose sur mon menton. Je sens venir la question suivante à des kilomètres, mais je suis tout aussi curieux des réponses que je pourrais apporter.

— Euh… De quoi tu parles ? dis-je bêtement.

— De ce sourire, là, répond-il en désignant ma bouche.

— Toi aussi, tu es en train de sourire ! je me défends.

— Ça, c'est parce que je me fous de toi, rit-il. Alors, pourquoi cet air heureux ?

— T'occupe.

— Traduction, c'est une fille.

— T'occupe, j'ai dit !

— Traduction, oui, c'est une fille ! Hé, tout le monde ! Thibault a…

J'attrape mon collègue par l'épaule et lui plaque mon autre main sur la bouche. Je fais certainement pitié dans mon imitation d'un gangster bientôt démasqué et mon collègue éclate de rire au travers de mes doigts. Il comprend néanmoins que je ne souhaite pas qu'il aille plus loin et se tait.

— C'est beaucoup plus compliqué que ça, dis-je en retirant ma main, qui ne servait à rien.

— D'accord, me répond le collègue, toujours souriant. Tu nous diras quand tu en sauras plus !

Il s'éloigne de moi avec un clin d'œil. Je replonge dans mes pensées.

Effectivement, c'est beaucoup plus compliqué que ça. Je suis en train de me réjouir à l'idée d'aller voir une fille dans le coma.

Je passe la journée entre travail et réflexions variées, me ramenant toujours à Elsa. Quelquefois, je pense à mon frère. Quand 17 heures arrivent, je pense juste à me dépêcher.

Je passe récupérer ma mère chez elle. J'ai l'impression qu'elle va mieux. Je me gare sur le parking de l'hôpital et nous descendons de voiture. Il faut croire que j'ai toujours ce sourire niais.

— Que t'arrive-t-il, Thibault ? Tu as l'air heureux aujourd'hui.

— Rien de spécial.

À l'inverse de mon collègue, elle se contente immédiatement de ma réponse. J'accepte de prendre l'ascenseur plutôt que l'escalier. Nous pénétrons dans le couloir du cinquième étage.

— Tu ne veux toujours pas venir ? tente-t-elle.

— Non.

— Qu'est-ce que tu vas faire en attendant ?

— Dormir, sûrement. Parler, peut-être.

— Parler à qui ? s'étonne-t-elle.

— Aux murs, je réponds en soupirant.

Nous sommes arrêtés juste devant la porte 55. Je regarde ma mère se glisser dans la chambre. J'aperçois brièvement le lit de mon frère. Les draps sont recouverts de tout un tas de choses. Des papiers d'emballage, des magazines, des télécommandes. D'après le bruit qui filtre, la télévision est en marche. J'hésite une demi-seconde, puis laisse la porte se fermer.

Non. Je ne suis pas encore prêt.

Je me détourne de la 55 pour me rapprocher de la 52. J'entrebâille la porte pour n'y passer que la tête. Parfait, il n'y a personne. Je referme délicatement derrière moi, comme si j'avais peur de réveiller l'occupante des lieux. C'est marrant, je n'arrive pas à décider de mon comportement avec elle.

J'ai à peine fait trois pas que je sais que quelque chose a changé. Je sens une différence et cette différence ne me rassure pas du tout. Une partie de la chambre est beaucoup trop propre et, pourtant, dans l'entrée, il y a plein de traces de pas au sol. Le jasmin est masqué sous plusieurs autres odeurs et, en me rapprochant du lit, je remarque des petits morceaux de gomme qui traînent.

Des gens sont venus aujourd'hui. C'est étrange. Peut-être la famille d'Elsa, mais ça serait vraiment surprenant. Peut-être ses amis, ce serait plus probable. Ça expliquerait les nombreuses traces au sol. Je ne vois en revanche pas pourquoi ils auraient dessiné. Mais je délaisse rapidement tout ça pour me concentrer sur Elsa. Ou plutôt me concentrer sur le « Elsa et moi ».

Depuis ce matin, je suis presque euphorique à l'idée de revenir dans cette chambre d'hôpital.

Ce n'est pas normal.

Je me le répète en boucle. Ce n'est pas normal. Ce n'est pas normal. Il n'y a rien de normal à être excité par une visite à une patiente qui ne bouge pas, ne sent pas, ne pense pas et ne parle pas, de surcroît quand on ne la connaît pas.

Pour la énième fois depuis ma première erreur d'orientation dans cet hôpital, je me demande ce que je fais là. Pour la énième fois, je n'ai toujours pas de réponse. Ce n'est pas grave, il paraît qu'on a le droit de ne pas savoir, parfois. C'est ce que me dit mon patron, mais il ajoute toujours : « Tant que ça ne dure qu'une journée » juste après. Là, j'ai largement dépassé le stade des vingt-quatre heures. Je devrais peut-être me fixer une limite.

À défaut d'avancer dans mes réflexions, j'avance avec mes jambes jusqu'à la chaise poussée dans un angle. On dirait que tout le monde est resté debout dans cette chambre. Je délaisse complètement le calepin au bas du lit. De ce que j'ai compris de ma première visite, les médecins ne sont pas bavards sur ces bouts de papier. Et de ce que je vois devant moi, il n'y a ni davantage ni moins de câbles, tuyaux et autres appareils qui relient Elsa à sa vie terrestre.

C'est comme si rien n'avait changé depuis la dernière fois.

C'est peut-être pour ça que je m'obstine à venir ici.

Tout à coup, ça me semble évident, à tel point que je me soupire à moi-même. Bien sûr, que c'est pour ça que je viens ici ! Rien ne change dans cette chambre. Elsa est toujours là, impassible, immobile. Elle respire toujours au même rythme. Les affaires sont toujours posées au même endroit, enfin, pour le peu qu'il y en a. Seule la chaise principale navigue de quelques centimètres ou mètres, mais, sinon, on dirait une bulle où le temps s'est arrêté.

Une bulle où j'ai un accès temporaire.

Jusqu'à quand vais-je rester dans cette bulle ? Jusqu'à quand Elsa va-t-elle rester dans cette bulle ?

Je m'assois en grognant. Génial, je viens de trouver la réponse à une question et j'en rajoute deux autres ! Ma limite est donc toujours d'actualité.

Je réfléchis un instant. On est lundi. Peut-être dans une semaine. Si je me fixe lundi prochain pour prendre une décision sur ce que je veux faire de ces visites, ça devrait sûrement passer. En même temps, je n'ai pas non plus trente-six possibilités. Soit je continue à venir, soit j'arrête. Quant à Elsa, soit elle reste endormie, soit elle se réveille. Je n'aurai aucune chance de trouver la réponse pour Elsa, mais je le peux pour moi. En attendant, aujourd'hui, je décide d'un sursis. J'arrête de me poser des questions.

J'ai déjà enlevé mes chaussures et quitté mon blouson. En hiver, on dirait une combinaison d'astronaute, ce blouson. J'y range les gants, le cache-col, mes papiers, les clés de la voiture, celles de la maison et celles de chez ma mère. On dirait que je traîne mon appartement complet sur moi. Pourtant, c'est peu ! Et c'est pas comme s'il y avait beaucoup de choses dans mon appartement.

Je ne voulais rien garder de ce qu'on avait en commun avec Cindy, alors j'ai dégagé pas mal de trucs utiles et inutiles. Ma mère dit souvent que je devrais le personnaliser un peu, cet appart, mais elle dit aussi des tas de choses que j'ignore délibérément et celle-ci en fait partie.

Je m'installe confortablement dans la chaise, du moins j'essaie. Je grogne de nouveau en réalisant que j'ai oublié de prendre un coussin ou quelque chose pour la rendre plus moelleuse que le plastique raide. Je jette un œil à mon blouson. Aucune chance que ça suffise à molletonner le tout. Je regarde autour de moi comme si j'espérais trouver immédiatement une solution. Il n'y a rien. Je vais dans la petite salle de douche attenante qui ne sert à rien et confirme, elle ne sert à rien, puisqu'il n'y a ni serviette ni peignoir qui pourrait me tenir lieu de coussin. Je reviens dans la partie chambre et aperçois ma seule possibilité. J'hésite et je réalise alors que j'ai été superbement impoli depuis mon entrée.

— Merde ! Euh… Pardon, Elsa. Bonjour. J'ai complètement zappé en entrant. Je réfléchissais. Oui, ça m'arrive... Il y a trop de choses dans ma tête pour que je t'en fasse un résumé, alors il faudra te contenter de ça. Et puis, c'est pas franchement comme si tu allais m'aider à trouver les réponses.

Je regarde une dernière fois autour de moi. Je n'aime pas vraiment la solution que j'ai trouvée, mais c'est toujours mieux que rien, et qui saura ? La seule que ça pourrait déranger, elle ne s'en rendra pas compte.

Je m'approche du lit et glisse mes mains au travers des câbles. Quand mes doigts se serrent sur l'oreiller, mes muscles se crispent tout seuls. Je ne peux pas. Déjà parce que, un corps inanimé, c'est quand même lourd, et même si Elsa ne doit pas dépasser les cinquante kilos, ça reste un poids conséquent. Ensuite, parce que je ne me vois finalement pas la priver de son confort malgré le fait qu'elle ne réaliserait rien. J'ai l'impression de profiter de quelqu'un. Ça ne me ressemble pas du tout.

Je reste immobile comme ça quelques secondes, puis je retire mes mains et remets soigneusement en place les câbles, tuyaux et autres trucs. Elsa n'a pas bougé d'un poil ; en même temps, je ne vois pas pourquoi ça aurait été le cas.

— Tu te souviens quand j'ai dit que la chaise n'était pas confortable ? dis-je en retournant vers l'objet en question. Eh bien, ça n'a pas changé ! J'aurais voulu te prendre un de tes oreillers, mais faut croire que tu es bien ancrée dessus, et puis... ce ne serait pas très galant de ma part. Tant pis pour cette fois ! Je me coltinerai la chaise raide comme un bout de bois, et toi, tu resteras bien à l'aise entre tes draps.

Au bout de deux minutes, je suis plus que jamais certain que cette chaise est une arme de torture conçue pour éloigner les visiteurs. Les médecins et les infirmières n'aiment pas quand il y a trop de monde dans les chambres. Avec ce genre de mobilier, ils s'assurent que les gens ne restent pas très longtemps. Je remue sur le plastique tout en pensant sérieusement à partir. Je n'aurais qu'à me caler dans la voiture en attendant ma mère.

Mais je ne veux pas partir.

Mon livre-dont-vous-êtes-le-héros ne fait qu'un tour dans ma tête et m'envoie immédiatement à la page 13 : « Il ne vous reste qu'une ultime solution. »

Oui, je sais quelle est cette solution, mais c'est pas franchement la meilleure. Elle est même carrément déplacée et si quelqu'un entre dans la chambre, là, je ne m'en sortirai pas avec un « je suis un ami ».

Je soupire pour la quarantième fois depuis que je suis arrivé et me relève. J'ai l'impression d'être un gosse qui va avouer à ses parents qu'il a fait une bêtise. Sauf que, là, je vais prévenir avant de la faire.

— Bon, Elsa. Cette chaise, c'est juste impossible pour moi. Donc soit je pars… soit tu me fais un peu de place.

J'ai déjà commencé à faire le tour du lit pour m'installer côté fenêtre. J'ai l'impression qu'il y a plus d'espace, mais ce n'est qu'une impression, parce que Elsa est bien au centre, limite au centimètre près pour que le matelas épouse bien son corps. Je me dirige surtout de ce côté pour avoir une sorte de protection si quelqu'un entre dans la chambre. Avec un peu de chance, on ne me verra pas tout de suite allongé. Avec beaucoup de chance, personne ne viendra. Et, avec une chance abominable, les gens auront pitié en me voyant me mettre à couvert derrière une patiente plongée dans le coma.

De nouveau, je glisse mes mains sous Elsa en prenant soin d'attraper le drap avec. Je ne peux pas me résoudre à passer mes mains directement sur la chemise qui recouvre son corps frêle. Je tente de la soulever pour la décaler un tout petit peu, sans perturber les câbles ni quoi que ce soit. C'est un échec.

Quarante et unième soupir depuis mon entrée. J'attrape le calepin au bas du lit. Elle faisait cinquante-quatre kilos à son arrivée à l'hôpital. Avec son état, elle a facilement dû en perdre six, si ce n'est plus. Bon sang, je ne suis même pas capable de soulever quarante-huit kilos. Il va falloir que je fasse du sport.

J'abandonne l'idée de déplacer Elsa et me contente de faire passer tous les fils de l'autre côté. Je m'allonge silencieusement près d'elle, droit comme un I dans les trente centimètres de matelas qu'il me reste et me détends d'un coup. Je retiens un cri.

Le matelas est étrange. Ce n'est absolument pas le même que chez moi, c'est certain, mais ce n'est pas un modèle que je connais non plus. Dans ma tête, les rouages s'enclenchent cependant assez vite. Elsa est allongée ou semi-assise sur ce truc depuis des semaines, il y a un matériel adapté pour ce genre de situations.

Rassuré, je me rallonge à nouveau, dos à Elsa. Malgré son absence d'activité, son corps chaud me fait l'effet d'une couverture.

Vraiment confortables, ces matelas…

Je m'endors en moins de dix secondes.

9

Elsa

Si je pouvais bouger, je pense que je ne le ferais même pas. Je resterais immobile pour ne surtout pas le déranger, silencieuse pour ne surtout pas le réveiller. Peut-être que je m'autoriserais à tourner juste un peu pour le regarder dormir, mais ça n'irait pas plus loin.

J'ai suivi tout le manège de Thibault avec une attention accrue. Je ne me serais jamais attendue à ce qu'il se couche à côté de moi. Ça pourrait sembler morbide de chercher à s'endormir sur le même lit qu'une personne dans le coma, mais, une fois de plus, mon visiteur me surprend. Et dire que ma mère ose parfois à peine me toucher. Thibault s'est carrément collé contre moi. Enfin, je pense. Mon lit n'est pas non plus d'une largeur surdimensionnée. Il doit forcément y avoir des parties de nous qui sont en contact.

Du contact... J'en raffolerais comme une gamine devant une glace au chocolat. Presque vingt et une semaines que je n'ai pu expérimenter la moindre sensation tactile. Surtout que la dernière était celle de la neige contre mon corps tout entier. Pas extraordinaire comme souvenir. Du coup, je donnerais avec joie toute ma panoplie de mousquetons pour sentir rien qu'une parcelle de Thibault contre moi. Il y aurait des tas de vêtements et de draps entre nous, mais, rien à faire, sa chaleur passerait au travers et ce serait suffisant.

À vrai dire, le contact, je pourrais l'expérimenter avec n'importe qui. L'aide-soignante fait ma toilette chaque jour, ma sœur pose régulièrement sa main sur moi, du moins c'est ce qu'il me semble, et quand Steve, Alex et Rebecca viennent j'ai droit à un baiser sur le front. Mais Thibault, c'est autre chose. C'est mon petit rapport privilégié. C'est ma bouffée d'oxygène. Une bouffée d'oxygène dont je ne connais toujours pas le moindre détail physique.

Par réflexe, j'ordonne à mon cerveau de faire pivoter ma tête et d'ouvrir mes paupières. Je réalise la bêtise de tout cela en listant l'étape suivante : « Dire à mes neurones de remettre mes yeux en activité. » Ça ne sert à rien. Ils l'ont dit ce matin.

Je me mets aussitôt à déprimer tout en commençant à haïr ces médecins, futurs médecins, stagiaires et internes, y compris celui qui a plus ou moins pris ma défense. Ils y passent tous sans exception. Dans mon délire colérique, je les imagine avec d'affreuses têtes et des caractères irascibles. Je vais même jusqu'à penser qu'il y en aura bien un qui fera un mauvais diagnostic un jour dans sa carrière, puis je me reprends brusquement.

Non. Un mauvais diagnostic signifierait une personne qui ne serait pas guérie. Je ne peux pas leur souhaiter ça. Surtout que cette personne, ça pourrait être moi.

Ça pourrait être moi…

Ça pourrait être moi !

Non comateuse, je me serais levée d'un bond en criant quelque chose du genre : « Eurêka », mais je me contente de me féliciter intérieurement.

Ça pourrait être moi, le mauvais diagnostic, avec leur histoire de deux pour cent à laquelle j'ai rien compris.

Mon moral remonte d'un coup. J'ai l'impression d'être un de ces jeux de balancier pour enfants dans les jardins publics.

Ça pourrait être moi. Je pourrais me réveiller, leur prouver qu'ils ont tort. Après tout, aucun ne s'imagine que je puisse entendre et, pourtant, c'est bien ce qui se passe. Si je pouvais ouvrir les yeux ou donner un signe d'activité quelconque…

La seule question reste : comment faire ? Pour l'instant, je n'ai fait qu'entendre et attendre. Mais ai-je vraiment essayé de faire autre chose ?

Il y a cinq minutes, j'ai littéralement esquivé la tentative de tourner la tête. Je n'ai fait aucun effort, je ne voyais pas pourquoi j'en ferais. Ils sont tous si catégoriques. Mais aucun n'a expérimenté le coma à ma place, alors leurs théories… Je me permets soudain d'en douter.

Une part au fond de moi doit aussi admettre que ce médecin en chef m'a mise en colère. Rien que pour l'embêter, je voudrais pouvoir me réveiller. Mais aujourd'hui, là, à l'instant, je sens que c'est pour autre chose que je voudrais me réveiller. Et jusqu'à maintenant, je n'ai jamais fait l'effort d'essayer. Ça ne m'avait même pas traversé l'esprit. Pourtant, je n'ai que ça à faire. Penser.

Certes, l'effort implique généralement d'avoir le contrôle de ses muscles, sans parler de la totalité de son cerveau. Je ne contrôle ni l'un ni l'autre, à l'exception de la zone auditive, mais si cette partie a accepté de fonctionner à nouveau, pourquoi les autres ne le pourraient-elles pas ? Reste la question « mystère », comme le dit souvent Steve : comment je compte bien m'y prendre ?

La réponse vient aussitôt. Comme si elle avait attendu ce moment pour surgir. Je n'ai qu'à penser, puisque, à l'heure actuelle, je ne suis apte qu'à ça. Penser que je suis en train de tourner la tête. Penser que je suis en train d'ouvrir les paupières et de remettre ma rétine en fonctionnement. M'imaginer dur comme fer que j'en suis capable.

Je m'attelle aussitôt à la tâche.

Le fait d'avoir un objectif caché aide beaucoup. Bon, il n'est plus tellement caché. Je crève d'envie de voir Thibault. Si j'arrive à tourner la tête, ce qui sera déjà un exploit, puis à ouvrir les yeux et à voir, ce qui relèvera du miracle incarné, je pourrai peut-être enfin découvrir à quoi ressemble mon visiteur préféré.

Là, j'aurais rougi à mes propres pensées, mais ce n'est pas comme si mes parents étaient vraiment de bonne compagnie lors de leurs visites. Et Steve, Alex et Rebecca ne viennent pas très souvent. Il me reste peu de choix pour attribuer une médaille.

Je passe la totalité du somme de Thibault à me commander de tourner la tête et d'ouvrir les yeux. J'alterne les deux parce que je dois bien reconnaître que l'opération est franchement lassante, mais j'ai la respiration de mon colocataire temporaire de lit pour me motiver. À chacune de ses inspirations, j'imagine que je tourne la tête, à chacune de ses expirations, j'imagine que j'ouvre les yeux. La façon dont je me représente Thibault est chaque fois légèrement différente. Il y a quand même certains points qui, je le remarque, ne changent pas. Je suis par exemple persuadée qu'il a les cheveux bruns, même si je n'ai pas la moindre idée de pourquoi.

Je poursuis mes efforts mentaux jusqu'à entendre du mouvement sur ma droite. Je comprends que Thibault n'est pas seulement en train de remuer dans son sommeil, mais qu'il se réveille pour de bon. Ça doit bien faire une heure qu'il s'est assoupi et que je tente vainement de tourner la tête. Si je suis certaine qu'il a effectivement dormi, je ne peux pas en dire autant de ma nouvelle activité. Je n'ai aucune idée des résultats, si ce n'est que je ne ressens absolument aucun changement.

Le soupir grognon de Thibault me tire de mes réflexions. D'après les sons, il s'assoit et se lève, puis s'immobilise. Je commence à me demander pourquoi il reste ainsi quand sa respiration régulière à un mètre et demi de moi s'interrompt brusquement.

— Merde ! Tes fils !

Son exclamation m'aurait fait sursauter. Je suis curieuse de savoir quel est le problème avec mes fils.

— Ah ! J'ai dû te pousser ou je sais pas quoi dans mon sommeil et ça a tiré sur tous ces trucs ! Heureusement qu'il n'y en a pas un qui s'est débranché !

L'entendre râler m'amuse presque, mais je ne me souviens pas quand il aurait suffisamment bougé pour provoquer ce qu'il vient de dire. Je l'entends réarranger un peu mon câblage. Je me suis souvent demandé à quoi je devais ressembler au milieu de tous ces « trucs », comme il dit. La première fois, je me suis dit que ça devait faire comme un insecte dans une toile d'araignée. Après, j'ai préféré dire que j'étais un mousqueton au milieu d'un système de mouflage, ce système d'attache pour évacuer les gens des crevasses. C'est un peu plus mon élément et certainement plus élégant. Et surtout, il y a une notion de sauvetage. Alors que dans l'autre cas…

Ça remue encore autour de moi quand la porte de ma chambre s'ouvre. Thibault doit s'être figé comme un glaçon car je ne perçois plus rien provenant de son côté. Le nouvel intrus entre. Thibault ne dit toujours rien.

— Bonjour. Vous êtes de la famille ?

Je reconnais la voix de l'interne qui m'a défendue ce matin. Maintenant que je sais de qui il s'agit, je me demande ce qu'il fait là, mais la réponse de Thibault m'intéresse davantage.

— Non, je suis simplement un ami. Et vous ? Enfin, je veux dire… Vous êtes son médecin ?

Je traduis le court silence par un non de la tête.

— Juste l'interne du service qui passe faire une ronde de vérification.

— Ah.

J'aurais donné la même réponse que Thibault. En presque sept semaines, aucun interne n'est venu faire une quelconque ronde. Je crois surtout que c'est le cours du matin qui l'a secoué, celui-là.

— Vous aviez une question ? demande-t-il.

— Euh... Non, rien de spécial.

J'entends Thibault faire le tour du lit. Il doit sûrement vouloir se rapprocher de ses affaires pour fuir
au plus vite. Quand Steve, Alex et Rebecca l'avaient
surpris, ces trois-là avaient fini par le mettre à l'aise,
mais, aujourd'hui, j'ai peu d'espoir que l'interne en
fasse autant. Surtout qu'il reste d'un mutisme parfait.

J'essaie de me représenter la situation à défaut de
la voir. Je réalise soudain que Thibault est encore en
chaussettes et que les draps sur ma droite doivent
être tout froissés. J'aimerais rire et en même temps
avoir la trouille que son petit emprunt de matelas soit
découvert. Rien que sentir l'adrénaline de l'interdit,
ou en tout cas de l'insolite auquel personne n'a jamais
pensé, serait exquis.

Mais il faut croire que l'interne se fiche totalement
des détails car son silence reste complet. Thibault, lui,
renfile vêtements et chaussures assez maladroitement.
Ça doit le stresser d'avoir quelqu'un qui le regarde.

Je l'entends finalement se rapprocher de mon lit et
se pencher vers moi. Je suis surprise. Il oserait quand
même m'embrasser sur la joue devant l'interne ? Mais
son mouvement s'interrompt en même temps que sa
voix sort de sa bouche.

— Si, j'ai une question.

Soit l'interne est en pleine réflexion, soit il fait signe
à Thibault de poursuivre. Quoi qu'il fasse, il ne dit
toujours rien.

— À quoi ils servent, tous ces fils ?

La question n'est pas inintéressante et je me
retrouve à prêter attention à la réponse de l'interne,

qui accepte enfin de rouvrir la bouche. Il garde les termes techniques pour lui et se contente de donner l'essentiel de la fonction de chaque perfusion, tube d'air, capteur de pouls, et j'en passe. Thibault demande même quelques petites informations supplémentaires. Son intérêt me surprend.

La leçon improvisée de médecine s'achève et j'espère que l'interne va rapidement quitter la chambre. J'ai peur (enfin, je pense cette peur à défaut de pouvoir la ressentir dans mon ventre) que Thibault n'ose pas me dire au revoir à sa façon. Mais, encore une fois, son attitude dépasse tout ce à quoi je m'étais attendue.

— Au revoir, Elsa, murmure-t-il en posant ses lèvres sur ma joue.

Cette fois-ci, je n'ai pas besoin de forcer mon cerveau à essayer de capter le contact. Tout mon être est concentré dessus. Malheureusement, je ne perçois rien, alors je me fabrique la sensation de toutes pièces. Des lèvres chaudes et douces, un baiser délicat.

— Vous étiez son compagnon ? demande l'interne.

— Pourquoi est-ce que vous dites « étiez » ? reprend Thibault en se redressant.

— Désolé, c'est parce que… Ça fait déjà un bon moment. Peut-être que vous êtes passé à autre chose, depuis. Enfin, pardon. Ça ne me regarde pas.

L'interne a plus que bafouillé sa réponse. Heureusement, Thibault est loin d'avoir compris. Moi je sais pertinemment pourquoi il a dit « étiez ». Son médecin en chef a plus ou moins signé mon arrêt de décès ce matin.

Je remarque que Thibault ne répond pas à l'interne, que ce soit à son excuse ou à sa première question. Il se contente de le saluer avant de passer la porte. Mon visiteur préféré quitte la chambre sur cette humeur particulière.

Il se passe un certain temps avant que je m'autorise à porter de nouveau mon attention sur l'intrus. L'interne n'a apparemment toujours pas bougé. Je commence même à me demander si je n'ai pas raté sa sortie lorsque je l'entends se déplacer vers les fenêtres sur ma droite.

Je ne sais pas ce qu'il trafique. Pendant quelques instants, il y a un peu de remue-ménage, mais je comprends finalement qu'il est au téléphone.

— Oui, c'est moi… Non… Sale journée, ouais… Le chef… Déprimé ? Presque…

Il aurait pu répondre « carrément », vu sa voix déraillante. Mais au travers du combiné, ça doit déformer un peu le tout. Il mise peut-être là-dessus pour ne pas inquiéter son interlocuteur.

— Oh, c'est juste… Une patiente… Oui, dans mon service. Coma prolongé… Son petit ami vient de sortir de la chambre.

Là, tu fais erreur, cher interne. Thibault n'est pas mon petit ami. Mais je n'ai aucun moyen de te le faire comprendre.

— Euh… Si, je lui ai demandé mais il n'a pas répondu. Il venait de l'embrasser sur la joue, mais ça crevait les yeux qu'il aurait voulu l'embrasser tout court. Et il a pas dû oser puisque j'étais là… Oh, ça va ! Il a encore quelques jours pour le faire…

Je bloque instantanément pour deux raisons. La première parce que Thibault aurait donné l'impression de vouloir m'embrasser « tout court ». La seconde parce que l'interne vient juste de se mettre à sangloter. Bon sang, mais qu'est-ce qui lui arrive ?

— Pardon, c'est affreux ce que je viens de dire… Oui, je sais ! Mais… Ils veulent la débrancher ! Tu te rends compte ?… Oui, ça fait partie de mon métier mais… C'est juste que ça me déchire. Ah… Attends… J'ai mon bipeur qui vibre.

Effectivement, ça faisait un petit moment que j'avais repéré la vibration sans avoir été capable de l'identifier.

— Je dois y aller… Oui… À ce soir… Moi aussi je t'aime…

J'entends un profond soupir s'échapper de l'interne avant qu'il referme la porte derrière lui. J'aurais laissé sortir le même si j'avais pu.

10

Thibault

Je cligne des yeux, prétextant la violence des néons pour éviter le regard de ma mère. Je suis de nouveau à l'hôpital, comme si je n'en étais jamais parti, et, pour la deuxième fois en moins d'une semaine, j'en suis presque heureux.

On est mercredi, jour de visite, pour l'instant identique à lundi. Travail, sourire niais repéré par les collègues, détour pour aller chercher maman, arrêt devant la 55, tentative de ma mère pour me faire entrer dans la chambre de mon frère.

Je fais comme si je n'avais rien vu. J'ai encore l'arrière-goût de ma tentative de lundi. Je n'ai pas envie de recommencer.

Et puis, j'ai quelque chose de bien mieux à faire.

Je me dirige vers la chambre 52. Il y a toujours cette photo sous le numéro. Maintenant que j'ai eu les explications de ses amis, je me doute qu'Elsa doit particulièrement aimer ce glacier. J'ai encore un peu de mal à comprendre sa passion, surtout vu là où ça l'a menée.

J'appuie sur le loquet et me fige. Il y a une voix à l'intérieur, une voix qui vient d'ailleurs de s'interrompre en entendant le grincement. C'est celle d'une fille, j'en suis sûr. Et pas de cette Rebecca de la première fois. J'entends une chaise qui recule, puis des bruits de pas hésitants. Je lâche la poignée en cherchant une solution de secours, je dois faire pitié.

Qui que soit la personne, je n'ai pas envie d'expliquer les raisons de ma présence ici. Balancer un autre mensonge ou dire un semblant de vérité. J'en ai assez. Je voulais juste me reposer un peu, dans un endroit calme. Personne de sain n'accepterait cette raison. Enfin, personne à part Rebecca et son copain. Steve n'avait pas eu l'air de vraiment apprécier la chose.

L'escalier est trop loin pour que je m'y réfugie. Cette fille me verra sûrement courir une fois qu'elle aura ouvert la porte, c'est ridicule. Mais le fait que je me jette sur une chaise à quelques mètres de là l'est tout autant. N'empêche que ça fonctionne. Je fais le type qui s'ennuie, je croise à peine son regard. Elle ressemble à une étudiante, la vingtaine, qui observe le couloir avec incrédulité avant de se résigner.

Mes épaules se détendent et je m'enfonce un peu plus dans la chaise. Je disais que je me trouvais ridicule, mais je devrais plutôt dire minable. J'accompagne ma mère voir mon frère à l'hôpital et je ne désire qu'une chose, me caler dans la chambre d'une patiente inerte, tout ça en espérant être tranquille.

Je fais erreur sur erreur. Par rapport à mon frère, par rapport à ma mère. Par rapport à la tranquillité. Ce n'est pas parce que je refuse d'aller voir un membre de ma famille qu'Elsa doit subir la même chose. La preuve, elle avait ses trois potes la semaine passée, et là elle reçoit la visite de quelqu'un d'autre.

Je me surprends à espérer que la personne partira vite. J'ajoute « égoïste » derrière « minable » et m'enfonce encore davantage dans la chaise.

C'est la première fois que je traîne dans le couloir du cinquième étage, alors je regarde un peu autour de moi. Mes yeux repèrent en premier l'escalier, dans lequel je pourrais désormais trouver refuge, mais finalement, même assis sur du plastique raide, je n'ai pas le courage de me lever. Il y a une fenêtre au bout du couloir, deux portes battantes à l'opposé qui doivent donner sur le même couloir aseptisé, et quelques tableaux fades aux murs. Déjà que le rose vieilli de la peinture est à vomir… Je ne comprends pas pourquoi ils s'obstinent à mettre des trucs encore plus pâles. Ils ont peut-être peur de choquer les gens avec des couleurs vives.

Pourtant, dans un service pareil, on pourrait croire l'inverse. Quoique… J'en sais rien. J'ai jamais été dans le coma, ni en rétablissement postcoma. Je n'ai aucune idée de ce que les couleurs pourraient venir faire au milieu de ça. Si ça se trouve, je divague complètement. Pour me retrouver à imaginer ce que ça ferait d'être plongé dans le coma, c'est vraiment que j'ai un problème.

Je réalise que je cherche quelque chose des yeux depuis tout à l'heure. Je cherche un autre numéro, le 55. Je sursaute en comprenant que ma chaise est en fait placée juste à côté. Ça fait deux minutes que je suis à dix centimètres de la porte de mon frère. Je crois que c'est un exploit d'être resté aussi longtemps, même sans le savoir.

Le voilà, mon problème. La chambre 55 et son occupant.

Sinon, pourquoi je chercherais à me représenter ce que ça fait, le coma ? Des excuses, des leçons, des explications et des aveux signés. C'est tout ce que j'ai pu apercevoir depuis qu'il s'est réveillé. Mais qu'est-ce que ça ferait d'être à la place de mon frère ? D'avoir trop bu un soir en sachant pertinemment que c'est dangereux ? D'avoir renversé deux gamines sans vraiment s'en rendre compte ? Paraît qu'il a failli s'évanouir quand on lui a expliqué à son réveil. J'espère qu'il a eu la trouille de sa vie.

Et pendant ces jours où il était inactif dans ce lit, perdu quelque part dans sa tête alors que son corps s'en remettait, qu'est-ce que ça lui a fait ? Il se sentait comment ? Il ne sentait rien ? Il ne vivait rien ? Tu fais quoi, quand t'es dans le coma ? Tu réfléchis ? T'entends les autres ? Les médecins m'avaient dit de lui parler, j'ai pas décroché un mot.

Pourtant, avec Elsa, ça m'a pris moins de deux minutes.

Mais, Elsa, je ne lui en veux pas. Alors que mon frère…

Un bourdonnement vient perturber mes pensées. Je tourne vaguement la tête sur le côté en la laissant appuyée contre le mur. Mon cœur accélère lorsque je comprends que c'est la voix de ma mère qui filtre à travers l'interstice de la porte. Elle s'obstine vraiment. Elle ne referme jamais cette porte, comme si elle espérait encore que je puisse changer d'avis.

Je lève aveuglément le bras gauche, tentant de toucher le loquet pour tirer la porte une bonne fois

pour toutes, quand mon prénom se glisse au milieu
du bourdonnement. J'avais volontairement occulté les
mots, mais mon propre prénom, c'est trop difficile
à ignorer.

— … ne veut pas encore venir.

— Quoi, je suis plus son frère ?

— Comment est-ce que tu peux lui en vouloir ?

Je remarque que ma mère n'a pas vraiment répondu
à la question. Peut-être parce qu'elle n'a pas la réponse
exacte, ou alors parce qu'elle se refuse à le dire à voix
haute. Je ne sais même pas ce que j'aurais dit moi-
même. C'est certain, je le hais depuis qu'il a provoqué
cet accident, mais on porte toujours le même nom,
on a toujours la même mère, et c'est écrit noir sur
blanc dans le livret de famille.

Mais je ne peux plus vraiment dire qu'on forme
une famille. Une famille, ça se respecte, ça s'aime, ça
vit avec des hauts et des bas, mais on trouve toujours
une harmonie, un équilibre. Comme Gaëlle et Julien.
Là, mon frère, il a plongé quatre-vingt-dix mètres
sous terre, mais moi, je refuse de le suivre. Ma mère
fait des allers-retours réguliers, elle dit qu'il remonte
aussi un peu. J'ai pas du tout envie de creuser pour
le tirer vers la surface. Il s'est mis là-dedans tout seul,
il n'a qu'à dégager la terre tout seul.

— … peur.

Je rouvre les yeux d'un coup. Mon cerveau avait à
nouveau bloqué tous les sons, mais il n'a pas pu avec
celui-là, surtout qu'il s'est échappé de la bouche de
mon frère. Malgré moi, je tends l'oreille.

Il y a un long silence. Ma mère n'a pas voulu
répondre, ou alors elle a seulement murmuré. Ma

main est toujours suspendue à côté du loquet, ma respiration fait de même dans ma gorge.

— J'ai eu peur. Et j'ai encore peur.

Le peu d'air que j'avais dans les poumons se coince et j'ai la sensation d'un filet d'eau qui me coule partout sur le corps. Je me mets à tousser anarchiquement et cache mon visage dans mes mains. Si j'avais voulu entendre la suite de la conversation, je n'y serais même pas arrivé. De toute façon, c'est à ce moment-là que je vois la fille sortir de la chambre d'Elsa.

Alors que mon souffle continue à s'étrangler dans ma gorge, je la regarde partir jusqu'aux ascenseurs. Dès que les portes se sont refermées, je bondis hors de la chaise et me précipite au numéro 52 en reprenant ma respiration.

J'actionne la poignée comme pour déclencher un appel de détresse et referme la porte en m'appuyant dessus. J'ai les muscles tellement tendus qu'on dirait que j'empêche une foule de pénétrer dans la chambre. Je me suis enfui de la 55 en espérant ne plus rien entendre. Effectivement, je n'entends rien d'autre que les assistants électroniques d'Elsa. Mais mes pensées, elles, sont toujours là, et ce sont elles que j'essaie de laisser dans le couloir.

Si mon frère a eu peur, il l'a bien mérité. S'il a encore peur, c'est encore bien mérité. Mais ça prouve peut-être qu'il regrette.

Je secoue la tête en serrant les poings. Je refuse de lui trouver des excuses ou d'accepter une quelconque rédemption. Je veux continuer à le détester. Mais c'est toujours mon frère, du moins, en partie. Alors, je peux peut-être le détester en partie.

Ça n'a aucun sens. Rien ici n'a de sens. Pas plus que ma présence dans la chambre 52. Pourtant, j'y suis, et l'odeur de jasmin endort progressivement mon esprit. J'ai trouvé ma balise de détresse, le signal lumineux qui me ramène sur la terre ferme après un voyage dans les profondeurs. J'ai trouvé mon refuge, et c'est bien mieux que l'escalier.

Bien mieux qu'une chaise dans un couloir à côté du gouffre où s'est enfoncé mon frère.

*

— Tiens, je t'ai apporté ça.

Julien me tend un livre jaune et noir avant même de m'avoir dit bonjour. Il a encore de la neige sur le bonnet et ses joues sont toutes rouges. Je suis arrivé au pub quelques minutes avant lui, j'ai déjà eu le temps de me réchauffer.

— Qu'est-ce que c'est ? je demande en prenant sa veste pour la poser sur la banquette à côté de moi.

— Lis le titre, je pense que ce sera suffisant.

Julien s'attelle à quitter chacune des couches qui le recouvrent jusqu'à se retrouver en T-shirt. J'attrape le livre sur la table. *Le Coma pour les nuls*. Comment ont-ils osé éditer un bouquin pareil ? Je délaisse aussitôt l'épais volume et me concentre sur Julien. Il vient de commander pour nous deux et se met plus à l'aise dans la chaise.

— J'aurais jamais cru que tu viendrais, lui dis-je presque en m'excusant.

— J'ai négocié une petite heure avec Gaëlle. Je peux pas faire mieux. Enfin, si. Il y a peut-être une solution pour qu'on passe plus de temps ensemble.

— Laquelle ? je demande avec espoir, parce que je n'ai absolument aucune envie de rentrer chez moi tout de suite.

— Gaëlle propose que tu viennes de nouveau à la maison, comme mercredi dernier.

L'attention de Gaëlle me touche, mais je refuse aussitôt la proposition.

— Attends, je ne vais pas squatter chez vous chaque fois que j'ai envie de te voir. Tant pis pour moi, j'avais qu'à me mettre à déprimer hier ou demain.

— Non, justement, ça se commande pas, ces choses-là. Et, tu connais Gaëlle, il y a forcément un truc à négocier là-dessous.

— Elle négocie quoi ?

— La même chose que la dernière fois, à savoir que tu gères le biberon de Clara pendant la nuit, et aussi un petit supplément.

Julien a ajouté la dernière partie avec un sourire d'excuses. Je commence à flipper. Gaëlle a une échelle « petit/grand » complètement déformée.

— Vas-y. Quel est l'énorme supplément qu'elle me demande ?

— En fait, c'est même un énorme supplément qu'on te demande tous les deux.

— Alors là, c'est carrément hors norme, je plaisante.

— On voudrait que tu prennes Clara pour le week-end.

— Quoi ?

Mon « quoi » ressemble au cri d'un canard étranglé et bon nombre de clients aux tables voisines s'interrompent pour me dévisager. Je les ignore en fixant Julien comme s'il venait de m'annoncer qu'il déménageait à l'autre bout du pays.

— T'es fou ? Un week-end complet ?

— De vendredi soir jusqu'à dimanche soir, poursuit Julien. Tu resteras à la maison, c'est plus simple si tu y viens avec un sac plutôt que Clara arrive chez toi avec notre appartement au complet. Gaëlle t'expliquera tout le fonctionnement pour les biberons et le reste. Mais tu en connais déjà la plupart.

— Attends, Julien. Chaque fois que j'ai fait prendre le bain à Clara ou ce genre de trucs, vous étiez là. Je veux dire, si quelque chose tournait mal, vous pouviez rattraper le coup. Là, si vous êtes loin… Vous allez où, d'ailleurs ?

— Gaëlle a réservé un gîte en montagne.

— Genre, j'aurai aucun moyen de vous joindre…

— On ne part pas au bout du monde, rit Julien. Et il y a du réseau, là-haut. Mais on sait que tu vas assurer.

— Vous êtes bien les seuls à le croire.

Je bois une gorgée de mon jus de poire. Même la douceur de la texture n'arrive pas à éclipser la trouille que j'ai à l'idée d'avoir Clara sous ma responsabilité pendant deux jours.

— Vous pouvez pas demander aux parents de Gaëlle ?

— Ils ne sont pas disponibles, et elle veut te tester un peu.

Ça, ça me surprend moins venant de Gaëlle, et je réussis même à sourire. C'est Julien qui m'a proposé comme parrain. Gaëlle n'était pas très sûre au départ. Quand j'ai accepté, je n'aurais jamais imaginé le véritable entretien d'embauche que j'allais avoir à passer. Pour l'instant, je crois que j'ai réussi chacune des épreuves, et celle-ci doit être l'ultime, le test final qui décidera du oui ou du non, même si je sais que, de toute façon, il n'y aura plus trop d'autres possibilités. Le baptême est dans moins de deux semaines.

— Dis à Gaëlle que c'est bon.

— T'es sûr ? demande Julien avec un sourire jusqu'aux oreilles.

— Oui, c'est bon, mais elle va me faire une démo du tonnerre ce soir ! Si je veux réussir l'examen, je veux avoir le temps de préparer mes antisèches !

— Elle sort ce soir, alors je te ferai réviser, plaisante Julien.

— Ah, c'est pour ça que tu n'as qu'une petite heure ?

— Exactement. Sortie entre copines.

— Dis donc, elle s'amuse pas mal, ta douce !

— Et moi, ça fait déjà deux fois que je déroge à mon emploi du temps de père pour venir te voir, me rappelle-t-il.

— C'est vrai...

Maintenant que le marché est conclu, on passe à autre chose. J'ai discrètement fait glisser *Le Coma pour les nuls* sur la banquette pendant le début de la conversation pour éloigner le livre des yeux de Julien, sinon, je sais qu'il aurait aussitôt dévié sur le sujet. Je réussis à éviter les questions concernant Elsa

en me concentrant exclusivement sur la météo, mon
frère, la neige, une prochaine sortie à ski, mon frère,
mon appartement, mon frère encore, tout ça jusqu'à
ce que nos verres soient vides et que la petite heure
accordée à Julien soit écoulée.

On procède comme la fois précédente, à savoir
qu'on file récupérer ma voiture, puis on grimpe l'escalier en courant. Julien a les yeux rivés sur sa montre,
il sait ce qui l'attend s'il ose dépasser la limite, surtout que Gaëlle ne s'est accordé quasi aucune sortie
depuis son accouchement. Il sonne déjà à la porte au
troisième étage alors que je ne suis qu'au deuxième.
Mes performances sportives ont sacrément diminué.

J'entends Gaëlle ouvrir et plaisanter sur la justesse
de l'horaire. J'ai à peine repris mon souffle sur le pas
de la porte qu'elle me met Clara dans les bras.

— Attends ! Je suis encore en veste, et tout ! Elle
va geler !

— Avec les épaisseurs qu'elle a, aucun risque, me
répond Gaëlle. Enfin, si tu ne te dépêches pas, c'est
sûr qu'elle peut éventuellement commencer à pleurer.

Je pousse Julien pour me précipiter dans leur salon.
Gaëlle ne me laisse aucun répit, on dirait presque que
mon week-end test débute avec deux jours d'avance.
Je me déshabille maladroitement en faisant en sorte de
garder Clara, le plus à l'aise possible. J'ai l'impression
d'être un jongleur ultraperformant.

Mon jeu doit amuser Clara, car je vois ses lèvres
frémir légèrement lorsque je la fais passer d'un côté
à l'autre le temps de dégager successivement mes
bras de leurs vêtements. Je trouve même le moyen
de quitter mes chaussures d'une main et j'entends des

rires depuis l'entrée. Gaëlle et Julien me regardent. Apparemment, le petit test est réussi.

Gaëlle me fait signe et embrasse Julien. Je détourne les yeux pour ne pas m'introduire dans leur bref moment d'intimité, qui n'est d'ailleurs plus si bref que ça car j'ai l'impression que le baiser prend une tout autre tournure. Je n'en veux pas à Julien, j'ai aperçu la tenue de Gaëlle sous son manteau, elle est sublime.

Quand Julien revient vers moi après avoir refermé la porte, il a ce sourire béat du mec heureux et les cheveux un peu décoiffés. Je lui passe Clara le temps de quitter mon pull et reprends ma future filleule pour qu'il puisse lui aussi se déshabiller. Le tableau est plutôt marrant vu de l'extérieur. Deux mecs avec un bébé. On dirait deux nourrices complètement gagas mais néanmoins compétentes.

Je suis mon meilleur ami dans la salle de bains et l'observe laver sa fille. Ma petite séance de révisions commence, surtout que je prends le relais rapidement pendant qu'il cherche un nouveau pyjama.

— Alors, la visite d'aujourd'hui, c'était comment ? demande-t-il en fouillant dans un placard.

— Je ne suis pas allé voir mon frère, je te l'ai déjà dit, non ?

Je m'en veux un peu de ne pas lui avouer toute la vérité. Pourtant, il le mériterait.

— Je ne parlais pas de ton frère, Thibault.

Quel malin, ce Julien. En fait, à aucun moment il n'avait perdu de vue le sujet principal de la soirée. Il attendait juste que je sois dans une situation où je ne pourrais pas éviter sa question. Je sors Clara de l'eau pour la poser délicatement sur la serviette à côté. Elle remue ses petits bras vers moi.

— Comme les fois précédentes. J'ai dormi, dis-je en me décalant pour le laisser passer.

— Tu ne fais jamais autre chose que dormir quand tu vas la voir ?

— Je parle un peu mais, franchement, tu voudrais que je fasse quoi ?

Il faut croire que ma réponse est plutôt pertinente car Julien n'ajoute rien. Il finit d'habiller Clara et me la met dans les bras pour pouvoir ranger le coin qui lui est dédié. Je fais mine de danser avec ma filleule pendant qu'il s'active au-dessus des tiroirs.

— Tu comptes faire quoi ?

La question de Julien fait écho à celle qui tourne dans ma tête depuis déjà quelques jours. J'arrête lentement de danser, pensif.

— Je ne sais pas ce que je peux faire, mais je sais ce que j'aimerais.

— À savoir ? poursuit Julien.

— Je voudrais qu'elle se réveille.

— Ça, ça ne dépend que d'elle, tu sais.

— Je m'en doute bien.

Il reprend Clara et je le suis dans le salon. En deux minutes et avec une seule main, il a préparé tout ce qui était nécessaire pour lui donner le biberon. Moi, j'attrape le coussin d'allaitement et m'installe à côté de lui sur le canapé.

— Tiens, révise un peu, dit-il en me passant sa fille. Et comme ça, t'es coincé et tu continues à répondre.

— Répondre à quoi ?

— En fait, j'ai plus vraiment de questions, peut-être juste un conseil.

— Lequel ?

— Fais attention.

Pendant quelques secondes, le bruit de succion de Clara sur son biberon est la seule chose qu'on entend dans la pièce.

— Que je fasse attention à quoi ? je murmure, alors que je connais pertinemment la réponse.

— T'es en train de tomber amoureux d'une fille dont tu ne connais presque rien. Si c'était le seul souci, encore, ça irait, mais... T'es aussi en train de tomber amoureux d'une fille qui risque fort de ne jamais se réveiller.

— Qu'est-ce que t'en sais ?

— Je sais ce que tu m'en dis, Thibault. Il n'y a apparemment aucune amélioration, et je te trouve franchement impliqué pour une rencontre à sens unique qui a eu lieu il y a seulement une semaine.

— Je sais...

Oui, je sais. C'est bien la seule réponse que j'ai à donner. Éventuellement, je pourrais dire : « Je t'ai entendu », mais Julien le sait très bien. J'ai entendu, écouté, analysé et déjà digéré chacun de ses mots pour la simple raison qu'ils me trottent aussi dans la tête depuis un certain temps.

— Mais j'aimerais quand même qu'elle se réveille...

11

Elsa

Le bruit de la poignée qui grince me réveille. Je sais tout de suite qu'il s'agit de la femme de ménage. Sa démarche, son chariot, sa radio. Il fait nuit, il est entre minuit et 1 heure du matin. Je ne me suis pas longtemps demandé pourquoi le ménage était fait à une heure pareille. C'est si facile à comprendre. Le personnel n'a aucun risque de réveiller qui que ce soit dans mon état.

Elle passe rapidement le balai sous mon lit, s'attarde un peu plus sur les côtés. J'ai eu de la visite aujourd'hui, ma sœur et Thibault, elle va même sûrement devoir passer la serpillière.

J'aime assez être réveillée par la femme de ménage, à cause de sa radio, même si « réveillée » est un bien grand mot. En dehors des commentaires de l'animateur, aussi endormi que n'importe qui devrait l'être à cette heure nocturne, la musique qu'elle écoute n'est pas si mal. Ça me fait rire mentalement de réaliser que je suis au courant des derniers succès du moment. Si je sors de là, je connaîtrai les paroles de toutes ces chansons. Ça pourrait en surprendre plus d'un.

La femme de ménage pénètre dans ma toute petite salle de bains, qui n'est utilisée que par mes visiteurs, je l'entends râler qu'ils pourraient éviter mais elle nettoie tout de même. Ça prend environ deux chansons et une plage de publicité.

Quand la musique reprend, elle est en train de revenir dans la chambre. C'est un titre que j'aime beaucoup. J'ai envie de le fredonner. Il me rappelle mes meilleurs moments en glacier. Je m'évade quelques instants en me souvenant de ces retours d'ascension où je m'autorisais à chanter. Ce n'était possible qu'en descente, mais ça voulait dire que j'étais bien.

Bien… Si, le temps d'une chanson, je pouvais me sentir bien…

Je connais la mélodie et la majeure partie du texte par cœur, je répète tout ça une fois de plus dans mon cerveau. J'entends la serpillière frotter en même temps sur le sol. Si j'étais à la place de la femme de ménage, je ferais au moins ça en rythme. Elle brise toute la régularité avec ses coups aléatoires et ses petits soupirs de fatigue. Mais elle s'arrête brusquement et le manche de son balai-brosse claque soudain sur le sol. Je m'inquiète assez peu, je l'aurais entendue si elle avait fait une chute. Elle semble s'être figée. Ça m'arrange, j'entends mieux la chanson.

— Par tous les…

Son murmure est empli de peur. Je délaisse à regret ma répétition mentale de choriste. Qu'a-t-elle vu qui pourrait l'affoler à ce point ? Je ne peux plus expérimenter la peur de façon viscérale mais je m'imagine tout à fait ce que cela pourrait provoquer chez moi. Un sale fourmillement dans le ventre, une fraîcheur soudaine dans la nuque, ma respiration qui se réduit à un simple filet d'air et la totalité de mon corps en tension, à l'affût du moindre signe pouvant rationaliser cette peur et la faire partir. Mais il faut croire que c'est une réaction qui m'est très personnelle car la femme de ménage sort à grands pas de ma chambre, et je crois même entendre ses chaussures plastifiées résonner très rapidement dans le couloir le temps que ma porte se referme.

C'est parfait, elle a laissé sa radio, je peux finir d'écouter ma chanson tranquillement. Le titre se termine, et c'est un autre, que j'apprécie moins, qui s'enchaîne.

La porte se rouvre à ce moment-là, et je commande inutilement à mon cerveau toutes les opérations nécessaires à l'identification des personnes qui entrent. Tourner la tête, redresser le buste, ouvrir les yeux et transmettre toutes les données captées par mes rétines. Bien entendu, je ne fais rien de tout ça, mais, je m'imagine le faire. Depuis lundi, j'ai intégré cette façon de procéder à chacune de mes périodes d'éveil, c'est presque devenu naturel en deux jours.

À défaut, j'écoute attentivement ce qui se passe autour de moi. Il y a deux personnes. La femme de ménage et quelqu'un d'autre. Ils chuchotent, donc, au début, je perçois difficilement ce qu'ils disent, mais, dès que la porte est refermée et qu'ils ont avancé, leurs voix montent en volume.

— Je vous dis que j'ai entendu quelque chose ! s'exclame ma femme de ménage.

— Voyons, Maria, c'est impossible.

La conversation m'aura au moins permis de découvrir le prénom de celle qui me fait écouter la radio, mais là, c'est ce qu'elle dit, plus que le grésillement qui sort du petit poste, qui m'interpelle.

— Puisque je vous dis que je n'ai pas rêvé, monsieur le médecin ! J'ai entendu du bruit et ça venait d'elle.

— Maria, pardonnez-moi, mais je me permets de douter.

Cette fois-ci, je capte mieux la voix de l'homme et il s'agit de l'interne qui m'a défendue. J'avais bien raison en pensant que son chef lui mettrait des gardes de nuit. Ou alors, peut-être n'était-il simplement jamais venu puisqu'il ne s'était jamais rien passé.

— Vous ne me croyez pas ? demande Maria avec suspicion.

Son accent ibérique s'adapte parfaitement sur le dessin que je m'étais fait d'elle. Je l'imagine, les yeux plissés, en train de scruter l'interne comme si elle avait voulu le réduire en un tas de cendres rien que pour oser douter d'elle. Mais l'interne ne se laisse pas intimider.

— Maria, le cas de cette femme est désespéré. Nous ne pouvons plus rien faire pour elle.

— Quoi ? Vous allez me dire que vous comptez la débrancher ? Comme Madame Solange, à côté ?

— Grand Dieu, Maria ! Vous connaissez les noms de toutes les personnes qui passent par ici ?

— Ne blasphémez pas, Loris ! Eh oui, je connais aussi le vôtre ! lance-t-elle, comme en dégainant une arme devant son adversaire. Mais qu'est-ce que vous imaginez ? Qu'on parle en numéros tout le temps ?

Mes collègues n'ont pas toutes des patients qui ne peuvent pas leur répondre, elles !

— Vous voulez changer de service ?

Le profond soupir de Maria aurait pu être le mien. Le jeune interne comprend enfin là où veut en venir son interlocutrice.

— Oui, nous allons la débrancher, finit-il par répondre.

— Quand ?

— On ne sait pas encore.

— Pourquoi ? poursuit Maria tel un flic en plein interrogatoire.

— Parce qu'il est impossible qu'elle nous revienne.

— Qu'est-ce que vous en savez ?

— La médecine est une science, Maria ! Enfin, je ne vais pas vous donner un cours. Vous voyez le calepin, là, au bas du lit ? On y a ajouté une mention particulière en début de semaine. Oui, allez-y, prenez-le !

La colère de l'interne est désormais évidente. J'entends Maria qui détache violemment le calepin de son socle. Elle non plus ne cache pas sa fureur.

— Regardez sur la première page, la mention en bas, dans cette marge, à droite.

— Je ne vois rien, rétorque Maria.

— Si, vous voyez. Vous ne savez juste pas ce que ça signifie.

— Ce gribouillis-là ? On dirait une flèche ou une croix.

— C'est écrit « moins X ». On met « X » en attendant de savoir combien de jours exactement, le temps que sa famille se décide.

— Vous mentez. C'est affreux de faire une chose pareille.

— C'est la vérité. C'est même moi qui ai dû l'écrire. Ça ne m'enchante pas plus que vous, mais c'est comme ça.

— C'est comme ça ? répète la femme de ménage. Vous savez quoi, Loris ?

— Quoi ?

— Vous me décevez.

Je m'apprête à écouter la suite, à savoir que le jeune interne va se défendre en disant que l'avis d'une femme de ménage lui importe peu, mais je reste surprise devant le silence qui s'écoule. Silence relatif puisque la radio tourne encore.

— Moi aussi, je me déçois, mais qu'est-ce que vous voulez que j'y fasse…

Je me demande s'il va de nouveau se mettre à sangloter comme la dernière fois. J'espère très fort pour lui qu'il va éviter.

— Vous pourriez vous comporter comme un homme, et pas comme un pantin. Maintenant, vous m'écoutez et vous faites ce que vous voulez de ce que je dis. Je passais la serpillière et j'ai entendu du bruit. Ce n'était pas ma serpillière, ce n'était pas ma radio non plus, ce n'était pas simplement sa respiration, on aurait dit qu'il y avait un mot derrière tout ça.

— Ses cordes vocales ne peuvent pas fonctionner après autant d'inactivité.

— J'ai pas dit qu'elle avait parlé, le reprend Maria.

Le soupir d'exaspération vient cette fois de l'interne. Je l'entends piétiner, puis s'arrêter.

— Très bien, Maria. J'accepte de vérifier rapidement ses fonctions. Mais c'est juste pour que vous
me fichiez la paix !

— Ah, voilà un homme !

Je distingue un léger sourire de victoire dans la
remarque de Maria et la résignation de l'interne. Il
sort deux, trois trucs de ses poches pendant que Maria
retourne à son chariot comme si rien n'avait eu lieu.
Pendant ce temps, je m'accroche à ce tout petit espoir
que la conversation vient de me donner. Si Maria n'a
pas fabulé, cela veut dire que j'ai réussi à faire bouger
mes lèvres, et ce grâce à une chanson.

J'entends l'interne qui se penche sur moi, je comprends qu'il doit me palper puisqu'il a tiré les draps.
Mais je guette tout ça d'une oreille distraite. Pendant
qu'il s'agite, la totalité de mon activité est centrée
sur la chanson qui passait tout à l'heure. Je passe en
boucle les paroles et la mélodie dans ma tête. Je crie
presque le tout dans mon esprit, mais il faut croire
que rien ne dépasse les confins de mon cerveau car
l'interne arrête son examen avec un énième soupir.

— Je suis désolé, Maria, mais rien n'a changé.
Croyez-moi, j'aurais aimé qu'il en soit autrement.
Non, n'ajoutez rien, s'il vous plaît.

Je comprends que la femme de ménage a voulu
l'interrompre.

— Je retourne à mon poste. N'hésitez pas à m'appeler si quelque chose de réel se passe.

— C'était réel.

— Selon vous. Moi, je vous dis que c'est impossible.

— Selon vous, répète-t-elle.

L'interne sort. Puis c'est au tour de Maria et de son chariot.

Je m'accrocherai à mon petit espoir demain matin. Pour l'instant, j'ai envie de pleurer.

12

Thibault

Toute cette neige. D'habitude, ça m'indiffère au possible. Aujourd'hui, ça m'énerve. Si ça continue comme ça, je vais lamentablement échouer à mon week-end test avant même qu'il ait commencé. Julien m'a dit d'arriver pour 18 heures. C'est dans seulement dix minutes et, vu la couche blanche qui s'amoncelle sur la route, je sais que j'aurai besoin de bien plus que ces dix minutes pour être à l'heure. Ça en fait déjà cinq que je roule au pas. Le chasse-neige est trois voitures devant moi.

Je me résigne à avouer mon échec par téléphone quand mon combiné sonne. Le prénom de Julien s'affiche. Aïe… Je n'aurai même pas pu négocier ma peine en coopérant avec l'adversaire. Je décroche en serrant les dents puis me lance avant que mon meilleur ami n'ait pu prononcer un mot.

— Julien, je suis désolé, j'arriverai jamais à 18 heures. Pourtant, je suis sorti du travail à temps, j'avais tout préparé dans ma voiture pour pas avoir à repasser chez moi, mais…

Julien éclate de rire. J'ai peut-être mes chances de me rattraper finalement. Mais ce sont les bruits derrière sa voix qui me surprennent le plus.

— Attends, t'es où là ? je lui demande.

— Dans ma voiture, comme toi !

— Quoi ? Vous êtes déjà partis ? Vous avez laissé Clara toute seule ? Non, quel imbécile, je me corrige aussitôt. Vous avez finalement choisi de prendre Clara avec vous ?

— Qu'est-ce que tu racontes ? s'étonne Julien. Non, non ! Rien n'a changé au programme ! C'est juste qu'avec toute cette neige j'avais quelques achats supplémentaires à faire avant de partir, et je me retrouve coincé comme toi ! Saleté de chasse-neige !

— Toi aussi t'es derrière un chasse-neige ?

— Je suis deux voitures derrière toi, Einstein !

Je me retourne par réflexe, sans préoccupation pour l'avancée des autres véhicules devant moi. Je reconnais effectivement Julien au travers des pare-brise de la voiture qui nous sépare et lui fais signe. Il me répond par des appels de phares. Le conducteur du véhicule entre nous fait une drôle de tête mais comprend finalement que je ne m'adresse pas à lui.

— Bon, je suis sauvé alors ! dis-je en me remettant face à la route pour embrayer.

— Plutôt ! De toute façon, Gaëlle est excitée comme une puce à l'idée d'avoir un week-end rien que pour nous deux, alors ce ne sont pas quinze petites minutes de délai qui la tracasseront. Peut-être la route, et encore… J'ai appelé le gîte où on loge, il ne neige pas encore chez eux, c'est prévu seulement dans la nuit.

— Tant mieux, vous serez plus tranquilles alors.

— Depuis quand est-ce que tu as un avis sur la neige, toi ?

Ma réponse aurait dû être immédiate, mais elle tourne quand même quelques instants dans ma tête avant d'être verbalisée. J'ai l'impression qu'une autre phrase aurait voulu se glisser à la place mais je n'arrive pas à savoir laquelle.

— Mon meilleur ami et sa femme partent avec un temps pareil pendant que je garde leur fille de moins d'un an. Tu me vois l'adopter s'il vous arrive un truc ?

— Ah, oui, c'est gentil de t'inquiéter pour nous ! plaisante Julien avant de redevenir sérieux. Tu sais qu'être parrain peut éventuellement impliquer ce genre de choses. Quand tu signeras à l'église la semaine prochaine, tu t'engageras à être là pour notre petit amour, hein !

— J'essaie justement d'oublier ce type d'engagements…, poursuis-je dans la blague de Julien. Et puis, ce sera écrit nulle part, que j'aurais la garde de votre fille dans cette situation.

— Gaëlle t'a pas dit ?

Le ton de Julien me ramène immédiatement à un mode moins humoristique.

— Attends, qu'est-ce que tu racontes, là ?

— Non, rien, t'inquiète, c'était pour blaguer !

— Ouf, tu me rassures !

Mon cœur bat à une vitesse folle. Je réalise que j'ai vraiment eu peur. Des responsabilités dans mon travail, pas de souci. Les engagements professionnels, ça ne me dérange pas le moins du monde. Dans ma vie personnelle, depuis Cindy, j'ai tout fait voler en éclats.

— Thibault ? T'es toujours là ?

— Ah. Oui.

J'ai dû laisser passer quelques secondes de blanc pour que Julien soit aussi soucieux.

— C'est pas sérieux, le téléphone au volant, dis-je pour me rattraper.

— Et c'est pas pour les vingt mètres à la minute qu'on fait qu'ils vont nous arrêter. Franchement, si tu vois un gendarme occupé à verbaliser plutôt qu'à faire la circulation, montre-le-moi !

— Quand même. Tu voulais me dire autre chose ?

— T'aurais pas revu Cindy récemment, toi ?

La question de Julien me surprend plus que toutes les autres. Je dois avoir la tête d'un crapaud à qui on aurait coupé la langue.

— Comment tu sais ? je bafouille.

— Parce que je l'ai aperçue aujourd'hui, et que je trouve que tu es devenu pire qu'avant dès qu'on te parle de responsabilités.

Pas besoin de chercher à comprendre pourquoi Julien est mon meilleur ami.

— Comment ça s'est passé ? poursuit-il.

Je réfléchis un moment. Comment ça s'est passé ?

— Mal, je commence. Pourri. Elle a changé. C'était minable.

— Attends, Thibault, de quoi tu parles ?

— De sa visite express chez moi. Une visite très malintentionnée !

J'entends ma propre rage. Même après une semaine, je n'ai toujours pas digéré la rencontre.

— Tu développes ?

— En clair, elle s'ennuyait chez elle. J'ai assez développé ?

— Elle a fait ça ? J'aurais jamais cru.

— Je pense qu'il y a beaucoup de choses qu'on n'aurait jamais crues les uns sur les autres.

— Et t'as fait quoi ?

— Je l'ai foutue dehors, tu t'attendais à quoi ?

Pendant une demi-seconde, j'en veux terriblement à Julien d'oser penser que j'aie pu succomber une nouvelle fois aux charmes de Cindy mais, après un instant de réflexion, ma colère s'apaise. Avec l'état dans lequel je suis en ce moment, ça aurait très bien pu arriver.

— Désolé, Thibault, s'excuse Julien.

— Pas de souci.

— Si. Il y a souci, justement. Je suis même allé penser que ça aurait pu te changer les idées, mais je me suis ravisé juste après.

— Tu t'es ravisé, c'est ce qui compte. Et, franchement, ça aurait pu arriver.

Nouveau blanc au téléphone. Deux potes qui réfléchissent à leurs actions et à leurs pensées.

Jamais les filles ne s'imaginent ce qui tourne dans nos têtes. On passe souvent pour des vases complètement vides, pourtant je sais que, dans mon esprit, c'est tout le temps la tempête. Ça doit être pareil dans celui de Julien. On reste muets, pendus à nos téléphones comme deux imbéciles. Les filles ont peut-être un peu raison dans le fond. C'est pas qu'on soit complètement vides, elles se trompent sur les termes, c'est qu'on n'arrive pas à savoir quoi faire de notre tempête.

Heureusement, le chasse-neige nous sauve trente secondes plus tard.

— Julien ? dis-je en faisant comme si rien ne s'était passé. Le chasse-neige se gare sur le trottoir. Je crois qu'on a le champ libre, ça a l'air d'avancer plus vite devant moi.

— D'accord, on raccroche. À tout de suite ! Te casse pas la tête à me laisser une place pour que je me gare, t'as qu'à dire à Gaëlle que je l'attends en bas.

À 18 h 10, je descends enfin de voiture. Julien s'arrête à côté et met les feux de détresse. Je lui fais signe et me réfugie dans son immeuble. Le chauffage de ma voiture avait accepté de fonctionner, mais c'était pas non plus la fournaise que j'aurais souhaitée. Je grimpe les marches deux par deux pour me réchauffer et me glisse définitivement le mémo de reprendre la course à pied.

Gaëlle m'ouvre dans une tenue bien différente de mercredi. Je lui explique la situation en quelques phrases et elle me désigne les deux gros sacs dans l'entrée. J'en mets un sur le dos et prends l'autre dans mes bras avant de me diriger vers l'ascenseur. En bas, Julien est sorti de sa voiture. Le coffre est déjà ouvert. Je lui passe les sacs pour qu'il les charge et vérifie quelques points avec lui. Une question me passe alors par la tête.

— Elle est où, votre poussette ?

— Celle de Clara ?

— Tu veux que je parle de quelle poussette, Julien ?

— Pardon, c'était trop facile…, rit-il. Elle est entre l'armoire et le mur de sa chambre, bien pliée. Tu comptes nous la promener en poussette ? Il ne me semble pas t'avoir jamais vu sortir Clara autrement qu'avec le porte-bébé…

— C'est parce que je le fais jamais seul, que vous êtes toujours là, toi ou Gaëlle, et que vous vous obstinez à la mettre dans ce truc à sangles.

— Quoi, tu trouves pas ça pratique ?

— Si, carrément ! Et je m'en servirai sûrement. Mais j'aurai peut-être besoin de la poussette.

— Curieux, venant de toi ! Bon, tu sais où elle est, on te fait confiance. T'acharne pas trop pour la déplier quand même, ça vient tout seul.

— Tu disais pareil pour les sangles du porte-bébé, et j'ai mis un quart d'heure à comprendre.

— Te plains pas. Quand Gaëlle m'a montré les nœuds à apprendre si je voulais la porter avec une écharpe, j'ai fini par lui tendre le catalogue des poussettes.

Je souris en imaginant à quel point le geste a dû coûter à son orgueil. Même mon meilleur ami super compétent a des démêlés avec la paternité.

— Bon, je crois qu'elle n'a plus qu'un petit sac à prendre et, tu connais ta femme, elle voudra le porter elle-même. Passez un bon week-end et profitez-en pour moi.

— Tu devrais partir parfois, ce serait chouette, me dit Julien en refermant le coffre.

— Avec qui ? je soupire.

Julien se contente de me sourire avant de remonter en voiture. Je lui fais un dernier signe en rentrant dans l'immeuble.

— Tu veux que je te réexplique quelque chose ? me demande Gaëlle quand j'arrive de nouveau chez elle.

— Non, c'est bon. File. Ton mari t'attend en mode prince charmant, je réponds en l'embrassant sur la joue.

Gaëlle me serre dans ses bras, elle a toujours été comme ça.

— Merci, Thibault, dit-elle doucement à mon oreille. Tu ne peux pas savoir à quel point ça me fait plaisir que tu nous fasses ce cadeau.

— T'inquiète, je fais ça avec joie.

— Ce serait chouette que tu puisses avoir ta famille, toi aussi.

Ma réponse toute faite est prête sur ma langue. Mon « avec qui ? », que j'ai même déjà sorti il y a une minute à peine. Mais c'est tout autre chose qui se glisse hors de ma bouche.

— Oui, ce serait chouette.

Gaëlle recule un peu et me dévisage avec stupéfaction et amusement en même temps. Je comprends ses sentiments. Ça doit bien être la première fois que j'avoue cette envie à voix haute. Tout le monde l'a déjà compris en me voyant avec Clara, mais je n'ai jamais dit quoi que ce soit sur le sujet.

— Touchée que tu m'en aies fait part, ajoute-t-elle avec un sourire.

Je l'accompagne jusqu'à la porte et lui souhaite un bon week-end. Avec mes allers-retours, je n'ai même pas eu le temps de dire bonjour à ma filleule. Clara est bien calée dans son espèce de lit-parc et s'agite doucement. Je me penche au-dessus d'elle et la soulève dans mes bras. Aucun mal avec elle, c'est pas pour ses quelques kilogrammes que je me retrouverai en échec.

Je me rapproche de la fenêtre en la laissant jouer avec mes doigts. Je n'ai aucun moyen de savoir si Julien et Gaëlle sont bien partis, leurs fenêtres donnent toutes sur le côté opposé à la route.

La neige continue à tomber et les réverbères orange donnent une allure étrange à la ville. Il n'est même pas 18 h 30 et pourtant, d'ici, on dirait que tout est déjà endormi. Je me surprends avec mes propres pensées et la question de Julien me revient alors en tête. Depuis quand la neige me fait-elle cet effet-là ?

J'aurais bien une réponse, mais elle me terrorise, alors je la laisse de côté et retourne dans le canapé.

13

Elsa

Ma mère et mon père sont là, dans ma chambre.
Ils n'y sont pas seuls. Il y a aussi le médecin en chef.
Ce foutu médecin qui me sort par les yeux. Et là, je
voudrais littéralement lui faire avaler sa blouse tellement il m'énerve.

Dès que j'ai entendu sa voix, mon esprit n'a fait
qu'un tour dans ma tête. Il est là pour parler du
fameux « moins X » une bonne fois pour toutes.
L'idée avait déjà été évoquée, mais pas d'une façon
aussi radicale. Et « radicale » est un faible mot. S'il
existait un terme qui pouvait regrouper « nonchal-
ant », « direct » et « totalement désintéressé », je crois
que ça résumerait la manière dont est fait l'argumentaire.

— Vous comprenez, madame, y a vraiment plus
aucun espoir.

Et ton langage soutenu, imbécile ! C'est limite si
t'allais pas dire « m'dame ». Si tu veux prononcer mon
décès anticipé, aie au moins la courtoisie de le faire
avec élégance ! On dirait un personnage d'un de ces
vieux westerns américains, sauf que toi, t'es en blouse !

D'ailleurs, je me le représente tout à fait de cette façon, ce médecin en chef qui m'horripile. La blouse entièrement déboutonnée, un poing sur la hanche, l'autre coude appuyé contre le mur. Je mettrais ma main à couper qu'il est en jean, et pas en pantalon de médecine en dessous. Un vieux T-shirt tout débraillé. Bon, ça, c'est moi qui fabule, mais, vraiment, il pourrait concrètement ressembler à ça. Une nonchalance outrante. Je ne comprends pas que mon père n'ait pas encore réagi.

Ma mère, elle, a réagi depuis un bon moment. Elle sanglote plus ou moins silencieusement. Je perçois ses pleurs plus facilement quand elle parle parce que ça découpe chacun de ses mots.

C'est curieux, finalement. Après tout, c'est elle qui a envisagé de me débrancher la première. Mais, vu sa réaction larmoyante, on aurait presque l'impression que les rôles de mes parents se sont inversés.

— Vrai-vrai-vraiment plus-plus aucun ?

Sa voix a complètement déraillé sur la fin de sa question. J'espère que mon père a eu l'intelligence de la prendre dans ses bras, ou même simplement de lui attraper la main. Elle est en détresse totale, et ça n'arrive pas très souvent. Elle doit être paniquée, pour couronner le tout. J'envoie une prière silencieuse à mon père pour qu'il remplisse correctement son rôle d'époux. Je doute fortement que ma prière ait eu le moindre effet, mais je comprends au moins qu'il a agi.

— Anna, calme-toi avant de chercher à comprendre quoi que ce soit.

C'est un conseil très raisonnable, mon père dans toute sa splendeur, mais ce n'est pas forcément celui que j'aurais souhaité entendre.

— Vous pouvez patienter un peu, le temps que ma femme reprenne ses esprits ?

Le grognement du médecin doit signifier oui. Qu'est-ce que je disais… Un vrai western. Mais où est passé mon interne ? Il aurait sûrement fait les choses avec plus de tact ! Quoique, si c'était pour l'entendre sangloter lui aussi… Ça aurait fait beaucoup de larmes à éponger dans l'après-midi.

Le médecin sort. Ma seconde prière silencieuse est pour déclencher n'importe quel événement qui pourrait lui faire se casser une jambe dans la minute. Mais même avec cinq fois ce temps imparti, rien n'a eu lieu, puisque, quand il revient, je n'entends aucune béquille claquer sur le sol.

— Vous avez pu réfléchir ?

Sûrement, voyons ! En cinq minutes, tu penses bien qu'ils ont eu amplement le temps de décider d'un truc pareil ! Je sais qu'au lieu de m'énerver je devrais plutôt mettre à contribution tout cet entrain pour commander à mon cerveau de s'activer pour me redresser, mais rien à faire, je ne me concentre que sur mes émotions. Il n'y a qu'avec Thibault que j'arrive à transformer ces émotions en actions. Là, je suis juste un ouragan de colère.

Je doute quand même un instant… La colère ne serait-elle pas une réaction physiologique chimique ? Ce qui signifierait que je suis en progrès ? Mais j'ai fait géologie, pas médecine, alors je m'en fiche éperdument et guette la réponse de mes parents.

— Non.

La voix de mon père est ferme et le message clair, même si j'aurais franchement préféré qu'il lui colle son poing dans la figure. Je ne sais pas d'où me vient toute cette agressivité, mais il est évident que je la canalise sur ce médecin. Serait-ce mon instinct de survie ? Après tout, mon avenir est entre les mains de cet homme et de ses arguments. S'il parvient à convaincre tout le monde, il me débranchera et je...

Non. Je ne veux pas penser à la suite. Pour l'instant, je suis là. J'entends. Et aujourd'hui, je suis vivante et je veux le rester.

— D'accord, répond le médecin. Vous avez entièrement le droit d'hésiter, je vous comprends, mais sachez que plus vous attendrez avant de prendre la décision, plus la douleur sera intense.

Ça sent la phrase automatique comme ces répondeurs téléphoniques préprogrammés. « Vous êtes sur la messagerie du Dr Machin, vous pouvez débrancher votre fille après le bip sonore. »

— Vous avez des enfants, docteur ?

La question de mon père m'interpelle. Je sens que mon coup de poing imaginaire va peut-être se transformer en une remarque cinglante qui fera plus ou moins le même effet.

— Oui, deux.

Menteur...

Il y a quelque chose de remarquable dans le fait de n'avoir que son sens de l'ouïe comme moyen de perception. C'est que tout ce qui est associé aux sons prend une saveur particulière.

En sept semaines, j'ai pu remarquer que j'associais naturellement des couleurs et des textures à ce que disaient les gens. La voix de ma sœur racontant ses histoires d'amour prend un aspect de velours rouge vomitif tellement ça déborde d'hormones. Ma mère est une espèce de cuir violet qui veut paraître robuste mais qui craquelle à de nombreux endroits tel un vieux sac à main. Ce médecin en chef est aussi terne et rude qu'une barre d'acier de chantier.

Au milieu de tout ça, heureusement, j'ai un arc-en-ciel qui a bien voulu se montrer depuis une dizaine de jours. Thibault est arrivé avec toutes ses émotions, toutes ces nouveautés pour moi. Je n'ai réussi à glisser aucune couleur en particulier. C'était juste chatoyant et interloquant. Je me suis arrêtée sur un arc-en-ciel. J'ai trouvé ça poétique. C'est toujours mieux que le reste, qui devenait écœurant au possible.

Bref, ce médecin est un menteur. Enfin, dans ce qu'il vient de dire, je sais qu'il ment. Il n'a pas deux enfants. Je doute qu'il en ait ne serait-ce qu'un. Pour moi, ce mec a une femme et c'est tout. Très certainement, cette réponse est aussi surfaite que la précédente et est là pour tromper les interlocuteurs. En même temps, il en a peut-être marre de s'entendre dire : « Ah oui ? Vous n'avez pas d'enfants ? Alors vous ne pouvez pas savoir ce que c'est de prendre une telle décision ! »

Je me surprends moi-même. C'est bien la première fois que j'ai des pensées raisonnables à l'égard de mon médecin attitré. De toute façon, je n'arrive pas à concevoir que l'on puisse être médecin avec la volonté de sauver des vies et devenir totalement désintéressé par la mort programmée de quelqu'un. Mais comment fait-on pour passer de l'implication personnelle, comme le montre mon interne, à ce détachement total

qu'affiche ce médecin en chef ? Peut-être des années
d'expérience. Sûrement, d'ailleurs. Je ne vois pas
autrement. Ce n'est certainement pas la première fois
qu'il a une décision pareille à prendre. Mais, malgré
tout, on a l'impression qu'il n'en a strictement rien
à faire. Je sais que ce n'est pas le cas, mais ça reste
quand même ce qui s'en dégage. Enfin, pour moi qui
n'ai qu'à écouter.

Mon père, qui ne sait pas que mon médecin ment,
ne poursuit pas la gifle verbale qu'il aurait voulu lui
donner et se contente de rassurer ma mère en chuchotant.

— Monsieur, tente le médecin qui a compris qu'il
ne tirerait plus rien de ma mère, voici les papiers.
Je sais que vous n'avez pris aucune décision, mais,
parfois, avoir le texte sous les yeux aide. Je ne vous
demande pas de les remplir ce soir. Juste de les lire.
Ou peut-être de les laisser sur une table pour que
vous y réfléchissiez régulièrement. Dans tous les cas,
n'hésitez pas à m'appeler. N'importe quand. Il y a
mes coordonnées indiquées en bas, dans cet encart.
N'importe quand, j'insiste. Si je suis occupé, je ne
réponds pas, c'est pas plus compliqué. Mais je réserve
cette ligne à ce genre d'appels et j'essaie autant que
possible d'être là pour la famille des patients.

Cette fois-ci, je ne sais pas quoi penser. Je crois
que je suis en train d'apprendre la neutralité. Ce que
dit mon médecin est professionnel. N'empêche qu'une
part au fond de moi aurait préféré que ce soit l'interne
qui se charge de tout ça. Au moins, lui, je l'ai déjà
entendu dire « je t'aime » à quelqu'un. Ça signifie
qu'il a un cœur qui vit et qui bat. Je ne dis pas que

le médecin en chef n'a pas de cœur, je dis plutôt qu'il l'a enfermé dans ce même métal froid et raide que j'associe au timbre de sa voix.

Mon père attrape les feuilles et le médecin salue mes parents. J'entends un vague murmure de leur part, puis seulement les sanglots de ma mère. Mon père doit lui caresser les cheveux. Elle s'apaise progressivement puis se rapproche de mon lit. Peut-être qu'elle me prend la main, peut-être qu'elle me regarde simplement. Je n'entends plus grand-chose. Je suis en train de m'endormir.

14

Thibault

— Julien ! Je te maudis ! Aïe !

Ma malédiction me revient dessus avec l'effet d'un boomerang. J'ai à peine eu une seconde après avoir exprimé ma haine contre cette poussette qu'elle m'a déjà pincé les doigts.

Dans son lit, Clara s'agite doucement. Je l'y ai remise dès que j'ai compris qu'une simple secousse de poussette pliée ne suffirait pas pour le dépliage complet. Je fais un pas en arrière comme pour prendre du recul sur la tâche à accomplir et regarde ma montre. À ce rythme, j'aurai jamais assez de temps pour tout faire. Tant pis, ce sera pour une autre fois !

J'ouvre le placard et sors le porte-bébé à sangles. Au moins, avec lui, je ne m'engage pas dans une lutte sans merci. Je jette un œil à la poussette résolument pliée. Ce soir, ma belle… Ce soir, tu comprendras ton malheur. Ce soir, j'attrape le mode d'emploi et on verra bien qui remportera la bataille. Je n'ai certainement pas l'intention de déranger Gaëlle et Julien pour leur demander de m'aider, alors ce sera en solo, mais le petit livret que j'ai aperçu sous la table du salon sera un excellent compagnon de guerre.

J'enfile le porte-bébé presque naturellement et ferme toutes les boucles nécessaires. Je glisse Clara à l'intérieur après avoir passé une bonne minute à lui faire plein de bisous sur le front et réajuste le tout. Nous sommes parés à sortir. Je suis fier de moi, malgré mon échec cuisant avec la poussette.

Dehors, tout est gris. La neige tombée hier a déjà fondu sous les pneus des bus et des voitures. Le peu restant a perdu son éclat avec les gaz d'échappement. Le ciel est d'un sombre à faire peur.

C'est affolant à quel point la météo a changé en un jour. Hier, il neigeait, aujourd'hui, ça sent l'orage. C'est pour ça que je voulais prendre la poussette, parce qu'il y a un machin en plastique qui garde Clara à l'abri s'il se met à pleuvoir. Là, j'ai un parapluie grand format qui pourrait concrètement servir de parasol vu le diamètre. Je cacherai ma merveilleuse filleule dans mon imperméable si jamais c'est nécessaire, mais je pense que le parapluie sera suffisant.

Je marche sur le trottoir déneigé. C'est au moins un avantage, je ne risque pas de glisser et ça m'aurait considérablement ralenti, de surcroît avec Clara plaquée contre moi. Je croise les regards de plusieurs jeunes femmes de mon âge. Elles sont tout de suite attendries par mon allure de papa-skieur. Parce que, entre le bonnet, la veste, les gants, le cache-col et les grosses chaussures, il n'y a que Clara pour prouver que je ne pars pas en station.

À chaque sourire féminin auquel j'ai droit, mon livre-dont-vous-êtes-le-héros me ramène page 60 :

« Souriez poliment, on ne sait jamais. » Je m'obstine à tourner la page pour lire la proposition suivante (« Passez votre chemin. »), tout en me demandant ce qu'il y a de si extraordinaire à voir un homme porter un bébé. Je pourrais ajouter « extraterrestre » derrière « papa-skieur ».

Le chemin vers l'hôpital est beaucoup plus court depuis chez Julien. Pas besoin de prendre la voiture, pas besoin non plus d'aller récupérer ma mère. Je me suis arrangé avec elle. Ou, plutôt, elle s'est arrangée avec une copine. Moi, j'avais l'excuse « Clara » pour ne pas avoir à m'imposer la visite chez mon frère. Il fallait juste attendre que ma mère ne soit plus à l'hôpital. Là, il est 16 heures, c'est parfait. Elle a dû finir. Avec un peu de chance, la copine en question l'a invitée chez elle. Peut-être même qu'elles dîneront ensemble. Ça ferait du bien à ma mère. Ça ferait du bien à tout le monde.

J'arrive rapidement à l'hôpital. Ma petite Clara regarde autour d'elle avec des yeux pleins de curiosité. À cet âge, tout doit sembler si intéressant. Ni elle ni moi n'avons eu le temps d'avoir froid. Avec les couches que je lui ai mises et la marche vive que j'ai adoptée, c'était sans risque. Je me glisse cependant dans l'ascenseur plutôt que d'emprunter l'escalier. Une fois encore, j'ai droit au regard affectueux des femmes confinées dans le petit espace avec moi. Quel que soit l'âge, d'ailleurs.

Je croise le regard d'une femme dans la trentaine. Très jolie. Resplendissante, même. Ça semble presque factice tellement son visage est radieux. Elle paraît pleine d'espoir en me regardant chuchoter à Clara que tout va bien et je ne comprends pourquoi que lorsqu'elle quitte l'ascenseur avec son compagnon au service maternité.

Quand arrive le cinquième étage, j'ai à peine levé le petit doigt que tout le monde sort ou se presse contre les parois pour me laisser passer. Je retiens difficilement ma surprise puis éclate de rire quand les portes métalliques se sont enfin refermées derrière moi.

— T'as vu un peu, l'effet qu'on leur fait ? je murmure à Clara en lui chatouillant le nez.

Soudain, j'entends une voix familière. Je relève les yeux et saisis immédiatement mon inconfort. Au bout du couloir, ma mère pousse un fauteuil roulant. Dans le fauteuil, il y a un homme. Mon frère. C'est sa voix que j'ai reconnue. Je regarde rapidement autour de moi. La cage d'escalier est à quelques mètres sur ma gauche. Mais j'ai à peine le temps d'esquisser un pas dans cette direction que ma mère m'interpelle.

— Thibault ?

J'entends sa surprise, et tout un tas d'autres choses contenues dans cette simple question. C'est le don d'une mère, ou peut-être d'une femme, de réussir à glisser un dictionnaire entier dans un seul mot. Là, je sais que dans ce « Thibault ? » il y a : « Qu'est-ce que tu fais là ? Pourquoi es-tu venu ? Tu as changé d'avis par rapport à ton frère ? Mais, c'est Clara ! Elle est trop mignonne, laisse-moi lui dire bonjour ! Comment as-tu fait pour venir ? Tu avais dit que tu ne viendrais pas ! » Et j'en passe.

Au lieu de ça, le « Thibault ? » suffit et je reste stoïque, planté comme un arbre à attendre que le petit cortège me rejoigne, incapable d'effectuer le moindre mouvement.

— Tiens, dit-elle en arrivant près de moi, c'est Amélie, l'amie qui m'a accompagnée ici. On a un peu traîné chez elle, c'est pour ça que je suis venue aussi tard. Tu me cherchais ?

Sans le savoir, ma mère vient de me sauver la vie, ou mon honneur en tout cas. Je n'avais absolument aucune idée de la façon dont j'allais expliquer ma présence à l'hôpital.

— J'ai essayé de te joindre à la maison, tu n'y étais pas. Je m'inquiétais. D'habitude, à cette heure, tu es déjà rentrée.

— Oh, mon chéri, dit-elle en me caressant la joue. J'aurais pu être chez Amélie, tu sais. Pourquoi est-ce que tu n'as pas essayé mon portable ?

— Tu le laisses toujours éteint, alors j'y ai même pas pensé.

— À quoi ça sert que je te l'aie acheté, ce téléphone ?

La voix qui vient de s'insérer dans la conversation me fait l'effet d'un coup de poignard en pleine poitrine. Je ferme les yeux et prends une lente inspiration. Jusqu'à présent, Clara cachait la silhouette assise dans le fauteuil roulant poussé par ma mère. Mais maintenant que mon frère s'est manifesté, je ne peux plus continuer à l'ignorer. Je rouvre les yeux et baisse lentement mon regard vers lui.

— Bonjour, Sylvain.

— Salut, Thibault ! Ça fait un moment qu'on t'a pas vu par ici !

J'ai envie de soupirer mais je me retiens. Mon frère, fidèle à lui-même. Je ne sais même pas pourquoi j'ai eu l'espoir qu'un accident le change. Il est incapable de dire quelque chose sans essayer de plaisanter. Avoir une conversation sérieuse avec lui tient du défi permanent.

— À se demander pourquoi, je rétorque en le fixant des yeux.

Mon frère ne me ressemble pas beaucoup. Ses cheveux châtains ont toujours été plus disciplinés que les miens et ses yeux bleus ont fait tomber davantage de filles que je n'aurais jamais osé le concevoir. Je repère cependant quelques cicatrices en travers de ses joues. Une autre sur son arcade droite. Je laisse mon regard errer sur le reste de son corps. Un bras dans le plâtre, les deux jambes dans des attelles. Le médecin a dit que le tableau de bord de la voiture s'était littéralement plié sur ses genoux. J'ai une fois pris un coup dans le genou, j'ai trouvé la douleur atroce. Pas étonnant que mon frère ait perdu connaissance et que son corps se soit plongé dans le coma pendant six jours. Malgré tout ce que je lui reproche, il a dû en baver. Mais la douleur ne suffit pas à pardonner.

— Toujours aussi réconfortant, lance-t-il.

Je m'étais attendu à un humour insolent, mais le ton de mon frère s'avère finalement plus détaché que prévu. On dirait presque qu'il est blessé. Ça ne lui ressemble pas. Il doit être en train de me faire marcher.

— Toujours aussi insouciant, je réponds sèchement.

— Ça suffit, vous deux.

Avec ces mots, j'aurais pensé reconnaître la voix de ma mère, mais non. C'est son amie qui vient de prendre la parole. Ses yeux vont de mon frère à moi avec un reproche évident. Je saisis pourquoi l'instant d'après quand je vois les mains de ma mère, crispées sur les poignées du fauteuil.

— Pardon, maman, je voulais pas…

Mon frère et moi nous arrêtons en même temps et, pour la première fois depuis notre rencontre d'aujourd'hui, nous sentons ce lien de parenté qui nous unit. Les mots sont sortis de nos bouches comme synchronisés. Les yeux de ma mère s'arrondissent, mais la magie ne dure pas. Une respiration plus tard, tout s'efface.

Je pose ma main sur la sienne pour la rassurer. Elle me regarde, au bord des larmes. Je l'embrasse sur la joue en murmurant à son oreille.

— Désolé, je ne suis pas encore prêt.

C'est le moment où Clara se met à gigoter. L'attention de ma mère est alors tournée vers mon adorable filleule, celle d'Amélie également, et je me retrouve à répondre à leurs questions sur sa santé, ses parents en week-end et la façon dont je m'en occupe. Elles échangent des commentaires sur la manière dont elles procédaient quand elles avaient leurs propres enfants, je les écoute d'une oreille distraite, les yeux rivés sur la petite main qui cherche à attraper la glissière de ma fermeture Éclair.

— Julien et Gaëlle vont bien ? demande mon frère à voix basse.

Décidément, sa nouvelle façon de parler est radicalement opposée à ce que je lui ai toujours associé. Je n'arrive pas à savoir si ça m'énerve ou pas.

— Qu'est-ce que ça peut bien te faire ? dis-je en continuant à regarder Clara.

— Arrête, Thibault. Réponds au moins à ma question.

— Ils vont bien.

— Et c'est toi qui t'occupes de leur fille quand ils s'en vont ?

— Ça se voit pas ?

— Thibault…

Ça doit être la première fois de ma vie que je l'entends soupirer. D'habitude, il ricane à n'en plus finir avec un rictus que j'ai toujours voulu lui arracher de la bouche. Ça a pourtant l'air sincère. Je devrais peut-être faire un effort.

— Pour aujourd'hui, oui, c'est une première.

— T'as l'air de savoir t'y prendre.

Le ton de sa voix m'interloque encore une fois et me fait baisser les yeux sur lui. Il observe Clara d'une façon étrange. Certainement pas la même que moi, mais je crois voir glisser de l'affection et du regret dans son regard. Très furtivement.

— Tu t'entraînes ? balance-t-il en riant de nouveau.

Son rire ne le gagne clairement pas jusqu'au cœur. On dirait qu'il cache quelque chose derrière, comme une mauvaise blague. Une très mauvaise, d'ailleurs, puisque son visage prend une expression de sobriété affolante l'instant d'après. J'ai un mal fou à interpréter son attitude. Je ne sais pas comment répondre.

Je pourrais lui rétorquer un non qui ouvrirait sur une tirade où il se moquerait encore de moi. Je pourrais répondre oui et, dans ce cas, j'écoperais certainement de tout un tas d'autres questions. À la place, je me retrouve à choisir sérieusement chacun de mes mots.

— Je profite.

Je crois que je viens de surprendre mon frère pour la première fois depuis un long moment. Il ne répond pas et se contente de nous fixer, Clara et moi. Puis ses yeux nous quittent et vont se perdre vers le fond du couloir. Mon ventre se crispe étrangement, ma gorge se serre elle aussi. Je réalise que j'ai envie de continuer à lui parler, mais que je n'y arrive pas. Alors je ne rajoute plus rien et attends que ma mère et son amie terminent leur petite discussion.

— Tu descends avec nous ? tente-t-elle.

— Je...

— Tu ne vas pas rester là, quand même !

— J'ai besoin de... digérer un peu tout ça.

Je jette un œil à mon frère. Sylvain fixe toujours le bout du couloir. Il n'y a qu'une fenêtre qui donne sur l'extérieur, mais je doute qu'il y accorde un réel intérêt, tout comme aux nuages qu'on aperçoit au travers. Il semble davantage perdu dans ses pensées. Ma mère avait dit qu'il utilisait son temps pour réfléchir. Peut-être qu'elle avait raison de croire en lui. Je n'avais en tout cas jamais réussi à avoir une véritable conversation avec lui.

— Bon... Comme tu voudras, reprend ma mère. Tu prends au moins l'ascenseur avec nous ?

Heureusement, j'ai déjà eu le temps de réfléchir à comment rester dans l'hôpital sans que toute la planète soit au courant.

— Je prends l'escalier, tu le sais bien.

— Ah.

Je perçois facilement sa déception mais, même si j'avais vraiment eu l'intention de partir, je n'aurais pas répondu autrement. Elle me sourit tristement et s'appuie contre le fauteuil roulant pour le faire avancer. Son amie me salue de la tête. Les yeux de mon frère errent toujours dans le vide.

Je reste immobile jusqu'à ce que les portes de l'ascenseur se referment derrière eux, l'esprit en pagaille. Dès que le clac retentit, c'est comme si j'étais une horloge qu'on venait enfin de remonter. Je caresse distraitement Clara au travers de son bonnet en me remettant en marche vers ma destination. J'ai déjà repéré la photo de montagne scotchée sous les deux numéros. Je la connais par cœur, cette photo. Je sais même d'où elle a été prise, j'ai cherché le week-end dernier sur Internet.

Je pose une main sur la poignée, l'autre sur la porte pour la pousser, et prends une profonde inspiration. Je ne sais pas pourquoi, mais je suis stressé.

15

Elsa

Une nouvelle voix. Lumineuse. Vierge de toute impureté. Comme la neige lorsqu'elle vient juste de tomber. Un flocon doré qui s'approche de moi. Presque le son le plus merveilleux que j'aie jamais entendu, après la voix plus grave qui murmure dans ma chambre. Un arc-en-ciel et un flocon, je ne vois pas vraiment comment ça peut coexister d'un point de vue température, mais ça coexiste dans ma chambre.

Un souvenir vif me percute. Si, j'ai déjà vu ça. Forcément, c'était sur un glacier. Il avait neigé pendant la nuit, et cette neige fondait à présent que le soleil s'était levé dans un ciel limpide. L'eau coulait dans les bédières, ces courants sinueux de fonte de glace qui suivent le même tracé qu'un serpent. Un petit accroc dans le glacier provoquait une minicascade, juste de quoi faire apparaître un arc-en-ciel si on se plaçait au bon endroit. De la neige et un arc-en-ciel ensemble. C'est donc possible.

J'ai envie de sourire. À mon souvenir. Au merveilleux cadeau que Thibault vient de me faire en amenant cette toute petite personne avec lui.

Soudain, tout s'écroule. Thibault a un bébé avec lui. Mon cerveau met en place et résout dans l'instant toutes les équations associées à la situation. Mon moral sombre immédiatement sous vingt mètres de glace. J'ai l'impression de suffoquer.

Je me mets à paniquer. Mon mental me croit de nouveau enfermée sous la neige avalancheuse de juillet. Tout fait pression autour de moi et, comme cet été, je n'ai aucun moyen de crier ma terreur. Dans mon esprit, ce n'est que tempête et déchirement. Ça fait dix jours que je n'ai pas fait de cauchemar en rêvant. Je suis en train de vivre la somme de toutes ces exceptions en étant éveillée. La terreur à l'état pur.

Au milieu de cette tempête, de très loin, j'entends cependant un son, étouffé par le hurlement du vent qui me transperce de toutes parts. J'essaie de me concentrer sur ce son, de lui attribuer une couleur, une texture, une saveur, n'importe quoi pouvant me faire évader de cette prison d'angoisse. Je tente de focaliser toute mon attention dessus en écartant les souvenirs de mon accident. Mais dès que je parviens à les faire s'éloigner, ils reviennent aussitôt, encore plus violents. Je crie dans ma tête à qui pourra me sauver et, soudain, tout s'arrête.

— Elsa ! Elsa ! Bon sang, qu'est-ce qui se passe ?

Mon arc-en-ciel vacille. Ses couleurs tremblent. Thibault est littéralement affolé. Le bébé s'est mis à pleurer. Ce nouveau tumulte de sons pourrait m'être insupportable, surtout si près de mon oreille, mais non, il me rassure plus que tout au monde. J'entends le cliquetis d'une montre qui va et qui vient, le frottement de mes cheveux, un murmure permanent.

— Elsa. Elsa. Elsa.

Le bébé se met à pleurer de plus belle, puis tous les sons à proximité de moi s'interrompent.

— Pardon, Clara. Je m'inquiétais pour Elsa. Chut. Chut. Là, voilà.

Le bébé hoquette doucement et se calme en quelques secondes. Il faut croire qu'il n'y a pas que moi qui suis happée par la voix de Thibault.

La porte de ma chambre s'ouvre avec fracas. Des bruits de pas rapides, deux personnes sûrement. Tout s'enchaîne à une vitesse folle.

— Mais… vous êtes là ?

Mon interne. À la fois surpris et en colère.

— Occupez-vous d'elle ! dit Thibault. On se fout pas mal de savoir si je suis là ou pas !

— Le bébé va me déconcentrer, répond l'interne.

— Pas question, je reste là !

— Docteur ?

Une voix féminine. Sûrement une infirmière dont les mains s'agitent au-dessus de moi depuis déjà quelques secondes.

— Oui ? répond l'interne.

— Quelques liaisons détachées, mais tout est stable, dit l'infirmière.

— Quoi ?

— Je vous répète, tout est stable.

— Ça signifie qu'elle va bien ? coupe Thibault.

— Vous êtes incorrigible ! s'offusque l'interne.

— Hé ! Elle vient d'avoir un spasme si monumental que j'ai cru qu'elle allait se briser ! lance Thibault d'une voix dont l'arc-en-ciel a viré au rouge. Vous espérez que je sois comment ?

— Qu'est-ce que vous avez fait ? demande l'interne.

— Moi ? Rien !

— Certains câbles sont détachés et vous me dites n'avoir rien fait ?

— Elle s'est presque assise ! Et, vu la violence du spasme, il y avait largement de quoi détacher tous vos trucs !

— Nos trucs la maintiennent en vie !

— Alors pourquoi tout est stable ?

Le bébé se remet à pleurer. Thibault détourne immédiatement son attention. Son murmure prend un peu plus de temps à le rassurer, il vient presque de crier. De son côté, l'interne se rapproche de l'infirmière et je les entends parler technique. Je perçois quelques « clac » de tubes, les roulettes de ma perfusion, le froissement des draps. La petite Clara s'est calmée.

— Désolé, dit l'interne.

Je comprends que tout va bien chez moi. En même temps, j'ose espérer que mon instinct de survie se serait alarmé si j'avais été en danger de... J'évince volontairement la fin de ma pensée.

— Désolé d'avoir été en colère, répond Thibault, dont la voix a retrouvé ses teintes habituelles.

— Vous dites qu'elle a eu un spasme ? poursuit l'interne.

— Ça a duré une seconde, mais je crois que ça a été la seconde la plus longue de toute ma vie.

— Vous pouvez me décrire ce que vous avez vu ?

Un petit silence, comme si Thibault rassemblait ses idées. L'infirmière continue son travail au-dessus de moi.

— C'est arrivé d'un coup. J'allais enlever son bonnet à Clara et le bip du capteur de pouls, ce truc
que vous m'avez montré la dernière fois, s'est mis à
aller super vite. La seconde d'après, Elsa s'est crispée
comme pas croyable. Comme je vous ai dit, c'était si
violent… J'ai pas fait gaffe au reste des capteurs et
perfusions, j'étais juste concentré sur elle.

— Je comprends.

L'interne donne quelques indications à l'infirmière,
puis poursuit.

— Il ne s'est rien passé de particulier quand vous
êtes arrivé ?

— Non, rien. Vraiment. Ça faisait à peine une
minute que j'étais là. J'avais même pas encore enlevé
Clara de son porte-bébé. Et, comme vous pouvez le
voir, elle y est toujours. Vous m'accordez une minute ?

— Allez-y.

Alors comme ça, Clara, ce petit flocon doré, est
plaquée sur le buste de Thibault. Ça expliquerait
pourquoi ses bruits étaient si proches.

— C'est votre enfant ? demande l'interne.

En une demi-seconde, tout mon être s'emballe à
nouveau. Je sens la tempête commencer à mettre du
chaos dans ma tête.

— Non, c'est la fille d'un couple d'amis.

Tout se réorganise. Clara n'est pas la fille de Thibault. Soulagement intense.

Cette pensée est instantanément suivie d'une claque
mentale que je m'inflige. Qu'est-ce qui me prend de
me mettre dans des états pareils ? En quoi cela aurait-
il un rapport avec moi que Thibault soit le papa d'un
petit flocon doré ? Je dois me rendre à l'évidence. Il

faut que je me mette à l'abri de mes propres émotions. À force de m'accrocher à Thibault, je suis en train de me l'approprier.

— Très bien, reprend l'interne. Vous savez que, normalement, il faut éviter d'emmener les bébés dans ce service.

— Je n'étais pas au courant. Je peux quand même rester ?

— Aujourd'hui, je ferme les yeux. Mais évitez, la prochaine fois.

Je pense que l'infirmière a terminé toutes ses vérifications, car il me semble l'entendre lisser mes draps et replacer le reste des capteurs. Le bruit métallique du calepin tiré de son socle me le confirme quelques instants après.

— Docteur ? Vous remplissez le suivi ?

— Écrivez pour moi, si vous voulez bien.

L'interne dicte un jargon incompréhensible, puis signe la page que lui tend l'infirmière. Cette dernière quitte la chambre.

Thibault a dû finir de s'activer, je l'entends faire sauter Clara dans ses bras avec aisance. Je ne pense cependant pas qu'il soit allé jusqu'à retirer ses chaussures. S'il est venu avec un bébé, il n'a certainement pas l'intention de dormir.

— Vous n'avez pas répondu à ma question, dit-il soudainement.

— Pardon ? s'étonne l'interne.

— Comment ça se fait qu'avec tous ces trucs débranchés elle respire encore ?

— Son organisme la maintient en vie pendant deux heures environ. Elle est capable de respirer par elle-

même et ses fonctions vitales lui suffisent durant ce
laps de temps. Au-delà, elle a de nouveau besoin d'une
assistance.

— C'est normal, ça ?

— Ça arrive parfois. Pour nous, c'est un signe que
le corps n'est pas encore remis et que le coma est
nécessaire.

Définitivement, j'aurais préféré que ce soit l'interne
qui parle de me débrancher à mes parents plutôt que
le médecin en chef. Il a une façon beaucoup moins
catégorique de tourner les choses. Il fait presque passer mon coma pour une maladie naturelle et bénigne.

— Vous avez une idée du temps qu'elle va y rester ? demande Thibault.

— Je ne peux pas répondre à cette question.

— Pourquoi ? Vous ne savez pas ?

— Parce que vous n'êtes pas de sa famille.

L'interne s'est presque excusé en répondant. Je sens
qu'il voudrait en dire plus, mais qu'il se retient.

— Je vous laisse avec elle, dit-il pour mettre fin à
son hésitation. Passez une bonne journée.

— Vous aussi.

L'interne sort à son tour et nous laisse seuls, Clara,
Thibault et moi. Je suis encore toute secouée de ce
qui vient de se passer. Le silence s'installe. Même
les petits gigotements du bébé restent discrets. Je me
demande ce qu'il se passe. J'ai l'impression que mon
arc-en-ciel se ternit.

16

Thibault

Il faut que je me calme.

Non, je suis calme. Il faut que je me raisonne, plutôt. Julien a vu juste.

Je suis en train de tomber amoureux d'une fille dans le coma. Ça n'a vraiment rien de sain. Mais quand je l'ai vue tout à l'heure, les yeux grands ouverts, en proie à cette espèce de sursaut affolant, j'ai réagi par réflexe.

Par réflexe... Je me fais peur à moi-même, d'autant plus quand un murmure s'échappe de mes lèvres.

— Elsa... Je ne connais presque rien de toi, et pourtant...

Je laisse mes mots en suspens. Pour une fois, je ne m'adresse pas réellement à l'occupante des lieux. Je ne ressens aucun besoin de terminer ma phrase à voix haute. La fin se profile d'elle-même dans ma tête. Je me rends alors compte que je dois ressembler à mon frère il y a dix minutes. Le parallèle entre nous deux m'écœure un peu, mais j'ai sûrement le même regard évasif que celui qu'il accordait au ciel gris au travers de la fenêtre.

Clara remue dans mes bras, je cherche un endroit pour la poser et la laisser bouger. Je réalise alors toutes mes erreurs de parrain encore inexpérimenté. J'ai été très égoïste en l'emmenant à l'hôpital avec moi. Je n'ai même pas pensé à prendre un tapis quelconque avec jouets et compagnie pour l'occuper. J'avais tout calculé pour ne pas avoir à traîner de biberon ni de couche, mais je n'avais pas pensé au reste. La seule possibilité est de mettre Clara sur le lit à côté d'Elsa, mais il me faudrait un peu plus de place pour ça.

J'étale mon manteau au sol et y pose Clara le temps de lui aménager un espace plus agréable à côté du corps inerte. Je bloque un instant. Elsa semble si paisible comparée à tout à l'heure. Rien à voir avec les joues raides et les mains tétanisées de son corps contracté.

Il y a eu un seul aspect positif à ce spasme, même si j'aurais quand même préféré que ce dernier n'ait pas eu lieu : j'ai pu voir les yeux d'Elsa. Ce bleu pâle qui m'a autant bouleversé que l'état dans lequel elle était. Je réfléchis un instant et retrouve l'endroit où j'ai déjà aperçu cette nuance de couleur. La photo affichée sur la porte. Le bleu de la glace sur laquelle elle marchait.

Avant d'avoir vu cette photo, je n'aurais jamais cru que la glace pouvait être bleue. Pour moi, la glace, c'est blanc et éventuellement transparent si on a un bloc suffisamment pur et lisse. En clair, le givre du congélateur ou les glaçons ronds du pub. Mes références sont assez restreintes. Personne ne m'avait jamais montré de glace bleue, à part en version alimentaire aromatisée, et encore, j'avais trouvé ça infâme.

Là, sur cette photo, j'ai découvert ce que notre planète était capable de faire. Ça m'a surpris parce que, étant dans l'écologie, j'ai déjà eu des études de cas à faire sur des trucs en rapport avec la banquise et les glaciers. Mais comme je ne me suis pas spécialisé là-dedans, ça s'est limité à mes deux premières années en tant qu'étudiant. Depuis, je me suis concentré sur d'autres choses. Elsa m'a remis les pieds sur terre. Ou plutôt sur la glace.

Je soupire en secouant la tête. Dix jours que j'ai croisé sa route, dix jours que mon monde s'est orienté sur elle. Je n'ai aucun espoir de revoir dans l'heure ce bleu qui n'est glacial que par sa couleur, mais j'ai l'espoir de le revoir un jour. Ce n'est pas parce que l'interne n'a pas voulu répondre à ma question qu'Elsa est destinée à rester des années dans le coma. Peut-être qu'il n'a pas osé me dire qu'elle en avait encore pour trois mois. Trois mois, ça peut sembler si long pour certaines personnes.

En revanche, il m'a donné quelques informations non négligeables. Elsa peut survivre deux heures sans tous ces trucs électroniques. J'avais déjà compris la dernière fois qu'une bonne partie n'était que des capteurs divers et variés, mais je ne savais pas qu'il était possible de débrancher tout ça pour quelques instants.

Maintenant, je le sais, et ça m'arrange.

Je me penche au-dessus d'elle et attrape le câble de son respirateur artificiel. Je tremble à l'idée d'accomplir mon geste et de provoquer quelque chose d'irréversible. Mais j'ai eu la preuve il y a cinq minutes que cela n'aurait aucune incidence pendant un certain temps.

Je serre les dents et ferme les yeux. Clac. Je viens de déboîter le tuyau transparent du respirateur. Sur le moniteur à côté, j'entends toujours le bip régulier et rassurant. Je n'ose pas arrêter la machine qui continue à pomper dans le vide. Les équipes médicales doivent sûrement avoir un moyen de surveiller tout ça à distance.

Je m'étire au-dessus du lit et décale la perche de la perfusion. J'en profite pour décliper deux ou trois autres câbles, le temps de déplacer Elsa. En dernier, j'ai la main sur le capteur de pouls épinglé sur son index. C'est le seul impératif de temps que j'ai si je ne veux pas que les infirmières arrivent en mode « alerte ».

J'ai déjà glissé une main sous le corps d'Elsa. Je sais que je n'ai fait aucun progrès depuis la dernière fois mais, aujourd'hui, je décide que j'y arriverai, même si ça doit me coûter une crampe à l'épaule. Je me prépare musculairement à la soulever en même temps que je détache le capteur de son doigt. Ma deuxième main l'attrape aussitôt par la taille et, dans un grognement pitoyable, je réussis à décaler Elsa d'une vingtaine de centimètres.

Mon adrénaline me fait rapidement remettre le capteur de pouls à son index et je rebranche tous les trucs que j'avais défaits. Je réarrange aussi les autres câbles. C'est parfait, Elsa est la même qu'il y a quelques secondes, mais vingt centimètres plus loin. La seule chose moins parfaite est la crampe qui s'est déclenchée simultanément juste au-dessus de mes omoplates, mais j'oublie la douleur, surtout que j'ai dit qu'elle en valait la peine.

Je me redresse et jette un œil à Clara. Ma filleule est allongée sur le dos là où je l'ai laissée, et ses petits yeux commencent à se fermer. La doublure épaisse de mon manteau doit lui faire l'effet d'un matelas chaud et moelleux. Je m'imagine être à sa place un instant et le sommeil me nargue aussitôt. Peut-être qu'avoir déplacé Elsa va m'être d'une autre utilité finalement.

J'attrape Clara et l'installe à côté d'Elsa sur le lit. Elle remue avec contentement, l'endroit doit être bien plus douillet que mon manteau sur le sol ciré. Je quitte mes chaussures le plus rapidement possible et m'assois au bord du matelas pour étudier le tout.

Je sais que Gaëlle et Julien dorment parfois sur le dos, Clara couchée à plat ventre sur leur poitrine, mais je ne me fais pas confiance, surtout avec un espace aussi restreint. Tant pis, je resterai de côté, Clara entre Elsa et moi. Elle n'aura aucun risque de tomber.

La seule condition est de ne pas m'endormir, mais même si le sommeil me tente chaque fois que je vois ma filleule bâiller de ses petites lèvres, je sais que je resterai assez alerte pour la surveiller. Je m'installe à l'extrémité du matelas pour lui laisser le maximum de place, mais je crois sincèrement qu'elle ne s'en rendrait pas compte si je la serrais un peu plus contre moi. Vu l'immobilité de ses mains, j'ai bien l'impression qu'elle s'est endormie.

Mon regard erre alors sur la personne qui se trouve juste derrière elle. Le bras droit d'Elsa fait un angle étrange et je réalise que je l'ai laissé en travers de son ventre après l'avoir déplacée. Je l'attrape lentement comme si j'avais peur de la réveiller et allonge son bras juste à côté d'elle. Sauf qu'à côté d'elle il y a

Clara et que, malgré tous mes efforts, je me retrouve forcé de laisser le membre inanimé en contact avec ma filleule. Ça ne semble absolument pas déranger cette dernière, qui ne bouge pas d'un millimètre. Je me courbe alors autour de Clara pour former comme un cocon. Mes genoux rencontrent les jambes d'Elsa, et mon front, son épaule.

De si près, le jasmin qui se dégage habituellement d'elle semble plus fort. Ou est-ce son odeur qui transparaît davantage au travers des draps ? Je ferme les yeux un instant et j'ai soudain envie de pleurer. Le sanglot s'échappe de ma bouche sans que j'aie le temps de le contenir. J'ai l'impression de vomir une boule de peine tant mes lèvres se sont ouvertes.

Je suis minable. Faible. Il faut que je me retrouve allongé sur un lit d'hôpital à côté d'une femme dans le coma et d'un bébé qui dort pour enfin accepter de laisser couler mes larmes. Pourtant, j'ai déjà pleuré quand Julien était avec moi la semaine dernière, mais là, ça n'a rien à voir. Les deux personnes qui sont dans cette pièce n'iront jamais répéter à quel point mes larmes étaient abondantes ni à quel point mes gémissements étaient douloureux. Je peux me laisser aller.

Je pleure à n'en plus finir. Je pleure mon arrogance, ma faiblesse et mes envies. Je pleure de n'être toujours pas capable de parler à mon frère. Je pleure ma jalousie face à Gaëlle et Julien, à leur petit couple harmonieux, à leur famille parfaite. Je rêve d'être à leur place et, au lieu de ça, j'emmène leur fille en visite à l'hôpital et baisse la tête chaque fois qu'une femme me sourit avec tendresse.

J'ai soudain froid, mais je sais que ce n'est qu'un effet de mon esprit. Ce n'est pas que j'aie froid, c'est que j'aimerais avoir deux bras autour de moi pour me réconforter. Pas ceux de ma mère, pas ceux de Julien, encore moins ceux de mon frère. Non, les seuls qui pourraient éventuellement me rassurer aujourd'hui sont les deux inertes à quelques centimètres de moi. Et je sais pertinemment pourquoi je pense ça. J'ai besoin de ces bras pour la simple et bonne raison que je ne peux pas les avoir maintenant et que, si je les veux, il va falloir que je me batte. Sûrement pour la première fois de ma vie.

Tout est toujours venu facilement. La réussite aux examens, les études, les étapes de ma vie, l'installation en couple. Même pour Cindy, ça a été facile. Et, avec le recul, je peux aussi dire que son départ l'a été, puisqu'elle m'a donné suffisamment de raisons de la détester pour digérer la rupture rapidement. Ce sont tous les effets secondaires qui ont été moins évidents, et je me suis laissé dépasser. J'ai relevé le menton en cherchant un nouvel appartement mais, finalement, c'est le seul objectif que j'aie réellement rempli. Je subis l'accident de mon frère alors que je n'y suis pour rien. Il serait peut-être temps que je me sorte de là.

Il serait peut-être temps que je la sorte de là.

J'interromps mes sanglots aussi brusquement qu'ils ont commencé. La voilà ma décision. Voilà comment je vais me battre. Je vais me battre pour moi, et je vais me battre pour elle. Je veux qu'Elsa se réveille et je veux me réveiller. Deux bouées de sauvetage qui travaillent de concert. Je ferai la partie consciente pour deux, elle fera la partie… Euh… Je ne sais vraiment pas quelle partie elle pourrait faire, mais j'ai envie de croire qu'elle fera quelque chose.

Mes dernières larmes coulent par-dessus mon sourire.

Je sens alors une certaine chaleur sur mes doigts et je baisse les yeux vers eux. Je pince les lèvres en découvrant que c'est le bras d'Elsa que je caresse.

Il faut que je me calme.

Non, je suis calme. Il faut que je me raisonne. Julien a vu juste.

Je suis amoureux d'une fille dans le coma.

Sur le moment, ça semble être la chose la plus saine qui me soit jamais arrivée.

17

Elsa

Un vrai délice. Je suis contre un arc-en-ciel et un flocon doré. Devant mes yeux clos défilent tout un tas de couleurs, de nuances, plein de petits pétillements qui sont à la fois doux et étincelants. Il me semble que le bébé s'est endormi car sa respiration est ce qu'il y a de plus calme. Celle de Thibault m'indique qu'il est éveillé. La mienne m'indique...

La mienne m'indique que Thibault a mal rebranché mon respirateur.

J'ai suivi chacun de ses mouvements, je n'ai pas pu associer chaque son à chaque capteur, mais, celui du respirateur, je l'ai bien identifié. J'entends un tout petit sifflement, très léger. Le tuyau d'air passe juste au-dessus de mon oreille. Je peux percevoir, au milieu de tout le reste, ce filet d'oxygène qui s'échappe dans ma chambre.

Je n'ai pas à m'affoler, si encore je pouvais le faire. Il y a suffisamment d'air qui arrive à mes poumons pour me faire respirer. Pas besoin d'avoir peur.

La peur... Je ne veux pas spécialement chercher à ressentir cette peur alors je me fixe sur mon exercice habituel lorsque Thibault est présent.

Je veux tourner la tête et ouvrir les yeux.

Je veux tourner la tête et ouvrir les yeux.

Je veux tourner la tête et ouvrir les yeux.

Au milieu de cette répétition mentale, j'ai soudain un intrus. Chaleur. Douceur. Contact.

Fugace. J'ai dû me tromper.

Je veux tourner la tête et ouvrir les yeux.

Je veux tourner la tête et ouvrir les yeux.

De nouveau, douceur.

Laisse courir, qu'est-ce que tu pourrais bien ressentir ?

Je veux tourner la tête et ouvrir les yeux.

Chaleur. Localisée.

Localisée ? Où ? Où ça ?

Déjà partie.

Mais je ne me suis pas trompée. Surtout qu'une tache violette est apparue devant mes yeux au moment où j'ai senti cette chaleur.

Senti… Comment être sûre que je n'ai pas inventé cette chaleur ? Avec tous mes exercices autosuggérés, comment faire la différence entre le réel et l'imaginaire ?

Je laisse tomber les questions. Je décide que c'est réel. Après tout, ma femme de ménage semble m'avoir entendue chanter la dernière fois. Bon… Chanter est sûrement exagéré. J'ai peut-être tout simplement expiré plus lourdement que d'habitude. Mais elle paraissait si convaincue. Et avec la musique qui défilait dans ma tête, j'ai eu envie de croire que j'avais enfin émis un signal au monde extérieur.

Je ris dans ma tête, j'ai l'impression d'être un extra-terrestre qui veut entrer en contact avec les habi-

tants de cette planète. Un extraterrestre qui ne sait
pour l'instant communiquer que par des couleurs.
Et encore, « communiquer » est un bien grand mot.
Normalement, la communication, c'est dans les deux
sens. Là, c'est juste à sens u...

Chaleur soudaine.

Décharge électrique.

Le bip du capteur de pouls devient plus rapide et
plus court, puis se calme après quelques instants. À
côté de moi, Thibault bouge. Je crois qu'il cherche
à regarder le petit écran où défile le témoin de mes
pulsations cardiaques. Il s'immobilise, comme s'il
cherchait à comprendre, ou comme s'il attendait
quelque chose. Il doit se raviser ou se rassurer, car
les mouvements suivants m'indiquent qu'il se rallonge.
À moitié seulement.

Là encore, je peux me tromper. Surtout que je ne
vois pas pourquoi il se serait seulement assis. Mais,
d'habitude, quand Thibault s'installe à côté de moi,
il passe un certain temps à gigoter comme un chat
cherchant sa place. Là, je n'ai rien entendu de tel.
Ce n'est pas grave, il doit certainement penser, réfléchir, surveiller Clara ou je ne sais quoi d'autre. Peu
importe. Il est là, c'est ce qui compte. Car moi, pour
l'instant, j'ai du travail, et je sais pertinemment que ça
fonctionne beaucoup mieux si Thibault est là.

Je veux tourner la tête et ouvrir les yeux. Je veux
tourner la tête et ouvrir les yeux.

Chaleur et contact.

Dans le bras.

Simultanément, le bip à ma gauche fait quatre
coups rapides puis se stabilise à nouveau.

— Bon sang, qu'est-ce qui se passe ?

Même s'il a murmuré, il est évident que Thibault s'inquiète. Après tout, il m'a déplacée, ce qui pourrait avoir engendré à peu près n'importe quoi. Bon, il a également mal rebranché mon respirateur, sauf que ça, il ne le sait pas. Mais j'ai la forte intuition que l'accélération des battements de mon cœur n'a rien à voir avec la pompe à laquelle je ne suis qu'à moitié reliée.

J'ai été capable de localiser la chaleur dans mon bras.

J'ai senti. Pour de vrai. Pas d'imagination, cette fois. J'en suis sûre. Pendant quelques instants, mon cerveau a repéré mon bras. Je ne sais pas lequel en revanche, du gauche ou du droit. Mais j'ai senti.

Et je veux sentir à nouveau.

Le besoin de contact. Je l'imagine soudain comme une dépendance, une addiction sévère qui nécessiterait des mois de cure de désintoxication. Un besoin insatiable qui pourrait me serrer la gorge, m'embrumer les pensées, me faire trembler jusqu'au bout des doigts.

Mon vœu est exaucé quelques respirations plus tard.

Je sens à nouveau.

Chaleur, douceur, contact.

Bras droit, cette fois, c'est sûr. Je sais en revanche que je ne peux pas le bouger. Même pas besoin d'essayer. Je me concentre sur ces petits influx nerveux pour tenter de les associer avec des souvenirs. Après ce qui doit être un assez long moment, je suis capable de distinguer deux zones de « chaleur, contact, doucœur ». Une immobile. Une qui se déplace. Du moins, c'est l'impression que j'ai.

C'est fou... Je ne sens pas mes jambes, ni mes mains, ni rien d'autre, mais je suis capable d'isoler deux zones qui doivent faire moins de trois centimètres carrés.

L'emballement sévère du bip du moniteur sur ma droite me fait aussitôt délaisser ces réflexions. C'est à mon tour de me demander ce qui se passe. Je ne comprends plus rien. Je ne sens plus rien. Enfin, si, je sens une seule des zones de chaleur et de contact, l'immobile. À l'inverse, l'endroit où la sensation bougeait n'existe plus. J'aimerais comprendre ce qui m'arrive.

Les bruits sont soudain estompés. En comparant ça avec des souvenirs, je dirais presque que mon cerveau a volontairement étouffé mon audition pour se concentrer sur autre chose. Mais se concentrer sur quoi ?

Je perçois au loin ce bip qui affolerait n'importe quel médecin et je me demande pourquoi aucun n'a encore débarqué dans ma chambre. Ma notion du temps est horriblement perturbée, je n'arrive pas à savoir si cela fait une seconde ou une heure que mon pouls s'est emballé.

C'est la première fois que mon audition me fait défaut. Peut-être que mon respirateur était vraiment nécessaire. Peut-être que ce sont mes derniers instants conscients. J'ai envie de serrer les dents et de lutter pour rétablir mes sens. Ou, plutôt, mon sens de l'ouïe. Je voudrais tellement comprendre.

Tout s'agite dans ma tête. Les couleurs, les textures, les pensées. Encore une fois, je ne sais pas si j'y passe deux jours ou simplement quelques minutes, puis, progressivement, je me rétablis. J'entends le petit bip se réguler, j'entends le moteur du respirateur, j'entends la fuite d'air dans le tube, j'entends Thibault et ses larmes.

Je les avais déjà entendues tout à l'heure. Lourdes, épaisses, pleines d'amertume au vu des teintes grisâtres qui avaient défilé devant mes yeux. Là, leur couleur n'est en rien similaire. Elle est même plutôt étrange. On dirait un mélange de tristesse et de joie. Incompréhensible. Je laisse tomber mon analyse.

J'entends aussi mon corps qui prend une grande inspiration.

Ça, c'est surprenant. Quoique, après un tel afflux sanguin, peut-être que mon organisme a besoin de se réapprovisionner. La question reste toujours pourquoi.

Pourquoi… J'ai l'impression que c'est la seule chose que je suis capable de me demander aujourd'hui.

18

Thibault

Je n'ai pas pu résister. Je l'ai embrassée.

Je m'attendais à ce que ce soit froid. Première erreur.

Je m'attendais à ce que ce soit rigide. Deuxième erreur.

Certes, Elsa ne risquait pas de répondre à mon baiser, mais c'était souple. Suffisamment souple pour que mes souvenirs associent ce contact avec n'importe quel baiser fait à un corps endormi. Le genre de baiser de pleine nuit lorsque le partenaire dort encore. Peut-être celui où l'on cherche justement à le réveiller lui aussi. Celui où la nuit prend une tout autre tournure, soit purement sentimentale, soit purement physique, ou alors un mélange des deux. Je me demande depuis quand je n'ai pas réellement partagé un tel moment.

Mais là, dans cette chambre d'hôpital, je ne sais pas ce qui m'a pris.

Certains diraient : « C'était plus fort que moi. » Je n'aime pas cette expression. Moi, je dirais plutôt…

C'était évident.

Je l'ai embrassée.

Je mords mon index plié pour évacuer la tension.
Ça fait déjà deux heures que je suis rentré chez Julien
et Gaëlle et je suis encore surexcité. Sûrement l'adrénaline de toute la situation, et peut-être aussi ces
foutues hormones qui se mettent en route lorsque
nos sentiments s'éveillent. J'ai baigné dans une sorte
d'euphorie jusqu'à tout à l'heure, retournant à l'appartement presque à l'aveugle. Ce qu'on peut être ridicule
quand on est amoureux…

Un gazouillis de Clara me ramène momentanément
sur terre. Vu l'heure, il serait temps que je lui prépare
son biberon du soir.

En rentrant, j'ai allumé la télé par réflexe, mais
le son est très bas. C'était peut-être pour me tenir
compagnie, mais je crois surtout que c'était pour me
distraire. L'inconvénient, c'est que ça ne fonctionne
pas. Même Clara n'y parvient pas.

Une fois son biberon prêt, je la cale sur moi et
la laisse téter tranquillement. Mes yeux errent dans
le salon et trouvent enfin une cible. Le manuel de
la poussette. C'est vrai que j'ai un projet demain,
et qu'il faudrait que j'apprenne à déplier ce foutu
machin. Mais un autre livre retient mon attention sous
la table basse.

C'est curieux que je l'aie aperçu, car il est bien
dissimulé sous des magazines. C'est même moi qui l'y
ai mis la dernière fois, planqué exprès pour l'oublier
avant de partir. J'hésite encore un moment. Je me
demande bien pourquoi Julien m'a acheté ce bouquin, lui qui me répète depuis une semaine de faire
très attention à moi et à ce qui se passe dans ma
tête et dans mon cœur. Peut-être qu'il pense que ça

me démotivera d'aller voir Elsa. Peut-être qu'il veut juste contribuer à mon éducation médicale. J'ai quand même de gros doutes sur cette dernière supposition.

Je reste immobile, en proie à cette indécision jusqu'à ce que Clara termine son biberon. C'est comme une bataille de regards. Moi qui scrute le livre pour le faire léviter jusqu'à ma main, le livre qui me met au défi de l'attraper. Heureusement pour lui, le livre gagne un sursis le temps que j'aille coucher Clara. Malheureusement pour lui, je lui bondis dessus aux alentours de 21 heures, après un repas et une douche, comme un soldat enfin prêt pour la bataille.

Le livre commence par une préface que j'esquive en beauté. Le sommaire semble bien fait, mais je le délaisse aussi vite pour attaquer l'introduction. Cinq secondes après, j'ai déjà tourné une bonne dizaine de pages pour arriver dans le vif du sujet.

Les explications débutent d'une façon assez simple, moyennant quelques phrases scientifiques. Mais, rapidement, les termes deviennent beaucoup trop techniques. Quand je relève le nez vers la pendule, il est 21 h 10. Non… Ce n'est pas possible… J'ai l'impression que ça fait plus d'une heure que je me casse le cerveau sur ce bouquin. Définitivement, il va rester sous les magazines. Je m'avoue vaincu.

Et je crois qu'une part de moi n'a pas envie de lire à quel point quelqu'un plongé dans le coma a peu de chances de se réveiller.

Je n'ai aucune idée de l'état d'Elsa, personne ne veut m'en parler. Et finalement, j'ai remarqué que je préférais que personne ne m'en parle. Je préfère être aveugle et ne rien savoir. Si je ne sais rien, je garde espoir. Et l'espoir est tout ce qui me fait avancer aujourd'hui.

21 h 15, j'attrape le manuel de la poussette. Je retourne discrètement dans la chambre de Clara pour récupérer l'objet de mon mécontentement, et pousse la table basse pour m'aménager un peu d'espace. Les gesticulations qui s'ensuivent doivent ressembler à un très mauvais ballet. Je me transforme en un terrible danseur, piètre partenaire d'une poussette qui n'accepte de se plier, ou plutôt se déplier, à mes exigences qu'après un duo sans merci.

Je prononce enfin le clou du spectacle, victorieux, à 22 heures. Je laisse néanmoins la poussette ouverte dans l'entrée. Même si je l'ai repliée et dépliée cinq fois de façon consécutive pour être sûr d'avoir enregistré le geste, j'ai quand même peur de ne plus savoir le faire demain matin.

Je prépare tout ce dont j'ai besoin pour ma filleule qui me réveillera en pleine nuit, puis m'allonge discrètement dans mon lit. La lutte contre la poussette a dû me fatiguer plus que prévu, car je m'endors rapidement. Vers 4 heures du matin, c'est l'esprit embrumé que je donne son biberon à Clara avant de replonger dans un sommeil profond.

Le réveil sonne à 7 heures. Ou, plutôt, mon téléphone vibre à 7 heures. Je me précipite dessus pour ne pas perturber les rêves de la petite merveille qui partage ma chambre.

C'est fou de voir à quel point on peut retrouver des comportements similaires dans des situations pourtant bien différentes. Je me souviens m'être réveillé pendant trois ans de cette façon pour ne pas déranger Cindy, qui sommeillait un quart d'heure de plus que moi. Je lui préparais son petit déjeuner, au début avec amour, après par habitude. À la réflexion, je crois que je n'ai eu de remerciements que pendant les premières semaines. Ça m'était égal, j'étais amoureux, puis habitué. Aujourd'hui, je suis simplement dévoué. Et je sais aussi que Clara ne me plaquera pas.

Je me prépare entièrement, histoire d'être totalement libre pour Clara quand elle se réveillera, ce qui ne tarde pas. Je la couvre d'une multitude de vêtements pour la tenir bien au chaud en respectant les directives de Gaëlle. Je ne manque d'ailleurs pas de chercher activement le bonnet rose que j'avais offert au moment de sa naissance. Je le trouve bien rangé avec le reste des vêtements de « sortie », comme dit Julien. Ça tombe bien, je prévois justement une « sortie ».

Un peu particulière, en revanche. Ce sera une nouveauté pour ma filleule. Une nouveauté pour moi aussi. Je n'ai jamais fait de jogging-poussette. Je sais simplement que le modèle acheté par Julien s'y prête. J'appréhende quand même un peu, mais c'est plus de l'excitation que de la nervosité. En attendant, j'ai, pour la première fois depuis le début du mois de décembre, un peu moins l'air d'un cosmonaute. Le blouson reste suspendu au portemanteau quand je referme la porte derrière moi.

Prendre l'ascenseur avec la poussette se révèle moins difficile que ce que je m'étais imaginé, contrairement au simple fait de sortir de l'immeuble. Un dimanche à 9 heures du matin, il n'y a pas grand monde pour me tenir la porte, il n'y a même personne. J'ordonne à Clara de se boucher les oreilles pendant que je jure à n'en plus finir le temps de passer la porte de l'immeuble. Une fois dehors, j'ai soudain l'impression de revivre.

Je ne comprends pas vraiment toutes les sensations qui me parcourent, mais je me délecte du simple fait de voir les rayons du soleil filtrer au travers des nuages. Techniquement, il ne devrait pas pleuvoir, mais je rabats néanmoins l'espèce de cloche en plastique par-dessus la poussette. Je ne voudrais pas que Clara prenne froid.

Je commence en me dirigeant vers le parc d'un bon pas. En quelques centaines de mètres, je suis conquis par les chaussures que j'ai empruntées à Julien. Si la poussette se prête tout aussi bien au jogging, je vais y prendre plus de plaisir que prévu. Une fois arrivé aux allées goudronnées qui sillonnent le grand espace vert, j'accélère progressivement. Je me retrouve alors à trottiner, maladroitement d'abord, puis avec plus d'assurance, sur tout le pourtour du parc.

Dans la poussette, Clara semble plus éveillée que jamais. Cette nouvelle expérience doit la ravir. J'étais très sceptique il y a quelques jours, mais maintenant que j'y suis je suis convaincu. Je commence même à planifier des sessions plus régulières dans ma tête. Il faudrait que j'en parle à Julien. On pourrait aller courir ensemble, comme ça, de temps en temps. Je me demande même si Gaëlle ne serait pas partante.

Vers 10 heures, le parc s'est déjà un peu plus rempli, mais beaucoup moins que ce que j'imaginais. Pour la simple raison que le soleil commence à se cacher définitivement derrière les nuages. Je reprends alors le chemin de l'appartement et me remets même à courir sur la fin, la pluie commençant à tomber.

J'arrive trempé, entre sueur et eau de pluie, mais je m'occupe d'abord du petit ange qui s'est assoupi dans la poussette. Je la déshabille et la change après quoi Clara refuse catégoriquement de quitter mes bras. J'erre dans le salon en m'amusant avec elle, mais mon moral sombre à mesure que la lumière décroît. Il n'est pas encore midi, et on pourrait croire qu'il fait nuit. Ça ressemble étrangement à ce que mon frère observait hier après-midi.

Quand un rayon de soleil perce au travers des nuages, je me rapproche de la fenêtre pour tenter de me retrouver les sensations que j'ai eues en sortant ce matin. Rien ne me revient. C'est comme si mon organisme avait tout oublié.

Au loin, la pluie tombe. Seul un petit endroit a encore droit à un rai de lumière, faisant aller et venir un arc-en-ciel très pâle. On dirait un voyant lumineux me rappelant trop bien un certain trait sur un certain écran dans une certaine chambre d'hôpital. Je désigne les couleurs pour les montrer à Clara, même si je sais pertinemment qu'elle ne se souviendra jamais de ce dimanche où son parrain lui a appris comment être sûr d'assister à un tel phénomène.

Je soupire en fixant l'arc-en-ciel. Je suis redevenu apathique, on dirait que j'imite la nouvelle personnalité de mon frère. Clara doit le sentir car elle cherche à quitter mes bras. Je la dépose dans son lit et retourne vers la fenêtre, comme si un aimant m'y attirait.

La pluie intense au fond ressemble à l'état de mon cœur. J'ai soudain envie de hurler ma peine, mais je sais que ce genre d'attitudes commence à bien faire. J'ai assez pleuré. J'ai pris des décisions. Je hais les orages, mais cet arc-en-ciel semble pourtant me redonner de l'espoir.

Il faut bien que les orages servent à quelque chose.

19

Elsa

Le bruit langoureux du baiser que ma sœur partage avec son copain du moment me répugne. Comment ose-t-elle faire ça dans ma chambre ? Certes, elle n'a jamais eu à se poser de questions en matière de petits amis. Elle n'a qu'à piocher dans l'attroupement qui la suit partout. Donc, le petit ami concerné n'a pas dû réfléchir un seul instant avant de répondre au baiser qu'elle lui proposait.

Si j'en crois le son de certains tissus, j'ai même l'impression qu'il a glissé ses mains sous le T-shirt de ma sœur. Je l'entends rire, mais elle a dû se raviser parce que leurs lèvres cessent enfin de se dévorer.

Je soupire mentalement. Oui, j'en avais assez de les entendre s'embrasser, mais, oui, j'étais aussi un peu jalouse. Non pas jalouse parce que ma sœur m'a moins parlé que d'habitude, mais plutôt parce que je n'ai pas expérimenté ce genre de contacts depuis ce qui me semble une éternité.

Quand je me suis réveillée ce matin, j'avais un peu perdu la notion du temps, puis ma sœur est arrivée et j'ai compris qu'on était mercredi. Je n'ai pu placer une date précise que lorsqu'elle a répondu au téléphone. Il me semble qu'on est le 10, mais je ne suis sûre de rien. Je peux en tout cas dire que Noël est dans environ deux semaines. Je me demande de quel cadeau je vais bien pouvoir écoper.

Le néant, sûrement.

Quel cadeau irait-on offrir à une fille dans le coma ? Surtout quand son anniversaire a eu lieu quatre semaines plus tôt, et que les médecins ne pensent qu'à la débrancher.

Je me souviens du Noël de l'an passé, ça avait été barbant au possible. Je m'étais retrouvée embarquée dans un de ces repas de fête interminables où on voit toujours les mêmes gens et où on mange toujours les mêmes plats, alors que je ne désirais qu'une chose, chausser mes skis et aller me régaler sur les pistes un jour où il n'y a quasiment personne dans les stations. Ma mère m'avait réprimandée à plusieurs reprises sur mon manque de convivialité. J'avais esquivé la remarque en disant que je ne comprenais pas pourquoi ma sœur avait eu le droit de venir avec son copain de deux semaines alors qu'on m'avait refusé la présence d'un ami de longue date.

L'ami que je voulais inviter, c'était Steve. Toute ma famille le connaissait déjà, mais on m'avait dit non. Mon père le détestait depuis qu'il avait appris qu'il s'agissait de mon partenaire de cordée. Ma mère l'ignorait depuis qu'elle avait compris qu'il ne s'agissait *que* de mon partenaire de cordée (et pas de mon partenaire tout court). Ma sœur...

Ma sœur, je n'ai aucune idée de ce qu'elle pensait, mais j'ai soudain l'impression que je vais le savoir.

Derrière la porte de ma chambre, j'entends pas mal de voix et il me semble justement reconnaître celle de Steve. La joie m'envahit, et elle m'envahit pour de vrai. Elle me submerge même, car ma victoire de la semaine, c'est d'être à nouveau capable de percevoir mes émotions.

Je sens ce qui circule dans mon sang. Je sens ces messages chimiques qui me parcourent et qui proviennent de mon cerveau pour y revenir chargés d'informations. Le dégoût puis la joie sont celles que j'expérimente aujourd'hui, mais hier, il me semble avoir eu droit à la peine et à la colère.

Ces deux dernières étaient pour mon médecin en chef et son interne passés en visite de courtoisie. En fait, ils venaient simplement parler de mon cas. C'était comme s'ils avaient besoin de m'avoir sous les yeux pour mieux argumenter chacun de leur côté. Le médecin en chef a fait une sacrée leçon de morale à mon interne en apprenant qu'il avait mis au courant ma famille de mon sursaut de samedi. L'interne s'est défendu en disant que c'était tout à fait normal de faire ça. Le médecin a insisté qu'on laissait tomber les détails insignifiants quand on avait inscrit ce fichu « moins X » sur le dossier. Mon sursaut n'aurait été qu'un réflexe, un message nerveux ne passant absolument pas par le cerveau mais par mon système autonome. J'ai décroché des termes médicaux derrière, même si j'étais curieuse de connaître les arguments de mon médecin officiel. Quand je suis revenue à moi, il n'y avait plus personne dans ma chambre.

Mais là, je me retrouve avec cinq personnes, et ça fait un bruit monumental.

— Pauline ! s'exclame Rebecca. Oh, je ne pensais pas te voir ! C'est vraiment super que tu sois là. Comment tu vas ?

Ma sœur répond vivement à Rebecca. J'imagine tout à fait la mine désemparée de son copain se retrouvant face à trois inconnus. Elle fait les présentations. Son mec émet à peine un petit grognement en guise de bonjour. Je crois qu'il ne se passe pas dix secondes avant qu'il prenne la fuite.

Steve et Alex ricanent dans leur coin pendant que Rebecca s'inquiète comme à son habitude.

— Tu crois qu'on lui a fait peur ?

— Oh, détends-toi, Rebecca ! répond ma sœur. Il est juste un peu sauvage.

— Vu la façon dont il te tenait par la taille, « sauvage » est effectivement le terme approprié, soulève Alex en riant.

— Alex ! lancent simultanément les deux filles.

— Oh, c'est bon, on a le droit de rire un peu, non ?

— Et je suis d'accord avec lui, ajoute Steve.

— Je… Euh… désolée.

Je suis interloquée. C'était bien la voix de ma sœur, mais la voix de ma sœur transformée. Une espèce de petit murmure gêné qui ne ressemble à rien de très convaincu. C'est franchement inhabituel de sa part… Et soudain, je comprends.

Ma sœur et Steve. Au secours… Ma sœur serait-elle amoureuse de Steve ?

Maintenant que l'hypothèse me traverse l'esprit, je me demande pourquoi je n'y ai pas pensé plus tôt. Ça paraît même tellement évident ! Mais non, il fallait que je passe par le coma pour m'en rendre compte. Tous ces indices que je n'ai jamais vus. Voilà pourquoi je ne pouvais jamais mettre précisément de mots sur ce que ma sœur pensait de lui.

Cette idée me permet d'expérimenter physiologiquement ma nouvelle émotion du moment, la compassion. Car je me retrouve à espérer très fort que ma sœur réussisse à avouer ce qu'elle ressent. Bon, peut-être pas dans cette chambre d'hôpital. Surtout que Steve n'est pas du genre à perdre son temps en explications, même avec les filles.

Je crois qu'il n'y a qu'avec moi qu'il a essayé d'être subtil et, manque de chance pour lui, ça n'a pas fonctionné, même si c'est un trait de caractère que je recherche.

Je me dessine le tableau de Steve et de ma sœur ensemble. Ça me fait sourire intérieurement. Je m'imagine sourire en vrai.

— Elle a l'air heureuse, aujourd'hui, dit Rebecca.

Je comprends qu'elle parle de moi car ses pas se sont rapprochés de mon lit. J'ai envie de hurler de bonheur quand je sens le contact de sa main sur mon bras gauche, ma seconde victoire depuis la visite de Thibault.

— Pourtant, il n'y a vraiment pas de quoi.

La voix de ma sœur me glace le sang. Nouvelle émotion. L'appréhension. Je n'en suis pas encore à la peur. Et, à vrai dire, c'est bien la première fois que j'ai envie de ne pas ressentir.

— Qu'est-ce que tu veux dire, Pauline ? demande Steve.

— Non, rien.

— Attends, tu crois quand même pas qu'on va te laisser nous balancer ça sans rien expliquer !

Qu'est-ce que je disais... La subtilité de Steve, totalement inexistante.

— J'ai pas le droit de vous en parler, reprend ma sœur.

— Comment ça, t'as pas le droit ?

— Parce que vous n'êtes pas de la famille.

Steve doit être en train de bouillir. Je comprends que Rebecca s'est rapprochée de ma sœur.

— Pauline, tu sais que, pour Elsa, nous faisons partie de sa famille, même si nous n'avons aucun lien de parenté. Tu ne peux pas nous laisser dans cette attente après ce que tu as dit. Qu'est-ce qui se passe ?

Voilà, ça, c'est du tact. Je remercie silencieusement Rebecca pour son intervention douce, mais néanmoins ferme. Mes trois amis veulent une réponse et ils ne partiront pas tant qu'ils ne l'auront pas eue.

— Franchement, j'ai vraiment besoin de vous expliquer ?

La voix de ma sœur me déchire le cœur. Je crois qu'elle va se mettre à pleurer.

— Elle ne se réveillera pas, c'est ça ?

Celle de Steve est aussi froide que les glaciers sur lesquels nous avions l'habitude d'aller marcher. Dans mon esprit, ses couleurs viennent de passer du rouge profond au bleu le plus figé qui soit. Trop d'émotions pour moi. J'ai presque envie de m'évader de la conversation.

— Les médecins disent que non.

Le ton de ma sœur conclut son explication. Personne n'intervient. Du moins pas tout de suite.

De façon très prévisible, c'est Alex qui se remet à parler en premier.

— Merci pour l'info. Je suis sûr qu'Elsa aurait voulu que tu nous le dises.

— Je ne sais pas du tout ce qu'Elsa aurait voulu, et je crois que je ne le saurai jamais, rétorque ma sœur avec colère.

— Calme-toi, Pauline, ça ne sert à rien de te mettre dans cet état.

— Comment ça, ça ne sert à rien ? Je me mets dans l'état que je veux !

Je crois que je n'ai jamais entendu ma sœur s'exprimer de cette façon.

C'est l'instant où le loquet de la porte grince à nouveau. J'entends l'inspiration commune des quatre personnes dans ma chambre. Ce ne serait quand même pas le petit ami qui reviendrait ?

— Euh… Je crois que j'arrive au mauvais moment. Thibault. Mon arc-en-ciel. Qui va avoir du mal à dissiper l'ambiance électrique.

— Ouais, y a des chances ! lance ma sœur. T'es qui ?

— Calme-toi, Pauline.

Cette fois-ci, l'ordre vient de Steve. Je suis à la fois touchée et surprise.

— Viens avec moi, continue-t-il.

— Où ? crache ma sœur.

— Dehors. Faut que tu te calmes.

Je comprends qu'il l'attrape par le bras et la traîne jusque dans le couloir. La porte claque derrière eux. Un silence pesant s'installe dans la chambre.

C'est bien ce que je pensais. Même avec ma sœur et Steve hors des murs, l'orage perdure dans la pièce.

— Bonjour, vous deux…, dit Thibault en se rapprochant. Je crois vraiment que j'arrive au mauvais moment. Ou alors j'ai fait un truc que j'aurais pas dû ?

J'imagine mon arc-en-ciel penaud, ne sachant trop comment agir. C'est en tout cas ce que reflète sa voix. J'ai aussitôt le désir profond de réussir mon exercice, « tourner la tête et ouvrir les yeux ». Je voudrais tellement le voir.

— Non, c'est juste la sœur d'Elsa qui est un peu… mal à l'aise, dit Alex avec précaution.

— Elle ne semblait pas si mal à l'aise, soulève Thibault.

Personne ne lui répond. J'entends qu'il se rapproche de moi. Je mets en alerte toutes les parties de mon cerveau qui voudraient bien fonctionner. À force de concentration, je perçois un contact sur mon front, dans mes cheveux et sur ma joue, en même temps que j'entends une main y passer. J'ai l'impression de m'y noyer comme si la douce chaleur était aussi imposante qu'un océan. Pourtant, la sensation est aussi infime qu'une aile de papillon.

La respiration de Thibault est toute proche, aussi proche que ces jours où il s'endormait à côté de moi.

— Je ne vais pas rester, aujourd'hui, Elsa, murmure-t-il le plus doucement possible. Tu as du monde qui est venu te voir. Je ne vais pas faire mon égoïste et te garder juste pour moi.

Émotions confuses. Mélange chaotique de jalousie, d'envie, de tristesse, et d'un autre truc que je n'arrive pas vraiment à isoler.

Sensation nette. Thibault m'embrasse sur la joue. C'est comme une explosion de saveurs. Je focalise la moindre parcelle de mon cerveau, même les inactives, sur ce que je ressens. Je crois que je pourrais décrire exactement la forme de ses lèvres, la rondeur de sa bouche, la moindre strie sur cette chair rosée que je rêve littéralement d'embrasser.

Plus que jamais, je veux tourner la tête et ouvrir les yeux.

La chaleur s'efface avant que je n'y parvienne.

À défaut de m'être noyée dans le contact, je me noie dans ma propre tristesse en entendant Thibault saluer Rebecca et Alex. Il sort de la pièce, je suis dans un monde à part. Même les voix de mes amis ne réussissent pas à me ramener à eux. Je parviens néanmoins à capter quelques mots au milieu de tout ça, comme si les sons étaient étouffés par des nuages.

— Tu crois qu'on devrait lui en parler ? Il a l'air proche d'elle, maintenant...

— Non. Laisse-le rêver. Qu'il y en ait au moins un qui puisse encore le faire.

20

Thibault

Je regarde alternativement ma montre et la pendule de mon bureau toutes les trois minutes environ, comme si l'une des deux pouvait m'avoir menti. Depuis ce matin, je n'arrive pas à me concentrer, c'est atroce. Le dossier que j'ai sous les yeux n'a pas avancé d'un centimètre. Je me demande même s'il a *réellement* bougé d'un centimètre depuis que je l'y ai posé.

Je sais exactement ce qui m'arrive. J'éprouve un manque qui ne pourra être comblé que demain parce que n'ai pas pu la voir hier. Enfin, j'ai pu la voir, mais seulement deux minutes, et ça m'a coûté toute ma galanterie pour ne pas rester et accaparer Elsa durant la petite heure que j'avais devant moi. Du coup, j'ai erré dans les couloirs de l'hôpital en repassant plusieurs fois devant la chambre 52, mais aussi devant celle de mon frère. Ma mère avait laissé la porte entrouverte comme pour me tenter une énième fois.

Elle a eu raison. Je me suis laissé tenter. Je suis entré dans la chambre sans rien dire. Ils ont essayé de me faire parler mais j'ai attrapé un magazine sans même lever les yeux vers eux et je me suis calé dans un coin, ma mère occupant l'unique chaise inconfortable accordée aux visiteurs.

J'ai écouté leur conversation d'une oreille distraite en parcourant les pages du magazine qui s'est avéré être une compilation de tous les articles les plus extravagants possible. Je n'ai même pas remarqué que ma mère était sortie. C'est quand mon frère s'est raclé la gorge que j'ai enfin levé les yeux et constaté que nous étions seuls. On s'est fixés un moment, dans le silence, puis mon frère a pris la parole. Ça a d'abord été une conversation plus que banale, puis il s'est soudainement lancé dans tout autre chose.

— Pourquoi tu ne viens jamais me voir ?

— Tu te le demandes vraiment ? ai-je dit platement.

— En fait... non, a-t-il répondu en soupirant. Tu penses que je mérite ce qui m'arrive. Mais je vais poser ma question autrement. Qu'est-ce que tu fous pendant que maman est ici ? Tu restes dans ta voiture ?

À ce moment-là, j'ai fermé le magazine, jeté un œil à la porte close et décidé de tout dire. Sans m'arrêter, j'ai raconté mes coups de déprime dans l'escalier, mes crises de colère, mon erreur de chambre il y a deux semaines, ma rencontre avec Elsa. J'ai raconté tous mes moments d'indécision, et aussi le moment où j'ai réalisé mes sentiments pour une fille dans le coma. J'ai aussi avoué que je ne pouvais toujours pas me faire à l'idée que mon frère avait tué deux personnes juste parce qu'il avait été trop stupide pour prendre le volant.

J'ai balancé tout ça en vrac, mais il a suivi l'histoire. À un moment, j'ai même cru voir ses yeux briller un peu, mais non, ça ne pouvait pas être possible.

— Tu m'en veux toujours autant ? m'a-t-il demandé après mon monologue.

— Et comment…

— Qu'est-ce que tu fais là, alors ?

— Comment ça ?

— Qu'est-ce que tu fous dans ma chambre ? Elle voulait pas te voir aujourd'hui ?

Je me suis levé d'un bond et, en moins de deux secondes, j'étais sur lui, la main sur sa poitrine, le visage à moins de vingt centimètres du sien.

— Je t'interdis de parler d'elle comme ça.

Mes yeux ont soutenu les siens pendant un long moment, jusqu'à ce qu'il les détourne. Ce qu'il a dit après m'a fait reculer de surprise.

— T'es vraiment amoureux.

Ça n'avait pas été dit avec méchanceté ni avec moquerie. Ça avait été dit avec envie. Je n'ai rien compris à ce qui arrivait. Surtout que mon frère a continué à parler.

— T'es vraiment amoureux et je t'envie. Pas d'être amoureux, mais de pouvoir ressentir des émotions de ce genre. J'ai jamais été super sincère ou… profond, ouais, c'est le mot. J'ai jamais été profond dans ce que je ressentais pour les gens. Je sais pas. J'avais peur qu'ils ne m'aiment pas ? Ou alors je m'en foutais, peut-être. Et aujourd'hui, je trouve ça… nul. Mais ça veut pas dire que j'y arrive.

Je suis resté immobile pendant qu'il parlait, puis j'ai compris qu'il s'arrêterait là. J'étais franchement dépassé. Je n'avais accordé aucun crédit à ma mère quand elle m'avait dit que mon frère réfléchissait à ce qui lui était arrivé.

J'aurais peut-être dû.

— T'as qu'à essayer, ai-je balancé en retournant m'asseoir dans l'angle de la chambre.

— J'aimerais, a-t-il répondu sans ornements.

— Qu'est-ce que t'attends ?

— J'en sais rien.

À partir de là, son regard a erré au-dehors et il n'a plus parlé qu'à ma mère lorsqu'elle est revenue. Il m'a quand même fixé quelques secondes quand on allait partir. Le mélange le plus anarchique que j'aie jamais entrevu. Il y avait une telle confusion de sentiments et d'émotions dans ses yeux que je me suis momentanément demandé comment il avait pu me dire qu'il ne ressentait rien. Puis j'ai hoché la tête pour lui dire au revoir, ou peut-être l'encourager à je ne sais trop quoi. Sa réponse a été encore plus discrète que la mienne, et on s'en est tenus à ça.

Dans la voiture, ma mère a essayé de savoir ce qui s'était passé pendant ses dix minutes d'absence. J'ai presque eu l'impression qu'elle s'était arrangée pour nous laisser seuls. Quand je l'ai ramenée chez elle, elle a voulu que je reste. Pour une fois, j'ai dit oui sans hésiter. Je n'allais pas encore demander à Julien de me tenir compagnie pour la soirée, surtout que le baptême de Clara est dimanche et qu'il a autre chose à faire que de gérer son meilleur ami.

Et là, je me retiens de l'appeler depuis trois heures parce que j'ai le sentiment que la soirée va être très

dure. Je n'ai pas envie d'aller chez ma mère parce
que j'aurai tout un tas de questions. Je n'ai pas envie
d'aller chez un collègue parce que j'en aurai encore
plus. J'ai juste envie de la voir, elle.

Mon livre-dont-vous-êtes-le-héros s'active soudain
dans ma tête. Il est resté bloqué toute la journée sur
la page 100, ou « page blanche », comme j'aime à
la décrire. Là, c'est comme si un coup de vent avait
juste fait tourner la page sur 99 : « Faites ce dont
vous avez envie. »

Qu'est-ce qui m'empêche d'aller voir Elsa ce soir ?
Les visites sont autorisées tous les jours, ce sont juste
les horaires qui varient. On est jeudi. Normalement,
c'est possible de 15 heures à 18 heures. J'ai la réponse
une demi-seconde plus tard. Je termine à 18 heures.
Donc, aucun moyen d'y parvenir.

Si. Un moyen.

Je ne prends même pas le temps de sourire à la
page 54 : « Faites tout ce que vous pouvez pour réussir », et me précipite dans le bureau de mon chef.
Dans mon livre-dont-vous-êtes-le-héros, il n'y avait
pas marqué *quoi faire* pour réussir, il y avait juste
marqué *tout*. Je choisis l'honnêteté partielle – je n'ai
pas le temps d'inventer quoi que ce soit.

— J'ai un truc très important à faire. Je peux partir
plus tôt ?

Mon supérieur me regarde avec suspicion. Je n'ai
jamais fait aucune demande personnelle depuis que
je travaille dans cette entreprise, mais mes coups de
colère contre Cindy au moment de notre rupture,
même s'ils datent d'un an, ont marqué mon dossier
personnel d'une grosse croix rouge.

— C'est quoi, ce truc important ? demande mon supérieur en soupirant.

— C'est compliqué à expliquer, je réponds en hésitant.

— J'ai l'impression que c'est vous qui êtes compliqué, Thibault.

— C'est tout à fait possible.

Ma réponse le fait sourire et je comprends que j'ai gagné.

— Plus tôt, ça veut dire quand, pour vous ? me demande-t-il en me voyant déjà sortir de son bureau.

— Tout de suite ? je lance, me disant que je ne risque rien d'autre qu'un refus poliment tourné.

— Allez-y. Fichez le camp. Demain, vous êtes là à 7 heures, par contre.

Je hoche la tête en guise de merci, puis file à mon bureau récupérer mes affaires. Mon cœur bat la chamade, de ma course dans l'escalier ou de ma victoire, je ne sais pas. Je m'en fiche pas mal.

Je ne sais qu'une seule chose.

Je vais la voir.

21

Elsa

C'est Noël avec deux semaines d'avance. On est jeudi et Thibault est là.

Il est dans ma chambre depuis un petit moment déjà. Il est arrivé euphorique. Il m'a raconté sa journée étrange, et m'a même dit qu'il avait quitté le boulot plus tôt pour venir me voir. Je suis restée perplexe en entendant cette information. D'autant plus que c'est l'une des rares fois où il a eu une conversation de ce genre avec moi, si on peut parler de conversation. Sa voix colorée était pleine de nuances chatoyantes. Elle s'est finalement stabilisée sur une texture veloutée et je n'ai plus tout bien compris. Je ne comprends d'ailleurs toujours pas vraiment, mais ce n'est pas grave. Je me sens bien, c'est ce qui compte.

Malgré le « moins X » griffonné sur mon carnet de suivi médical, je me sens bien.

D'ailleurs, il me semble que Thibault est la seule personne à ne pas être au courant de ce détail. C'est peut-être pour ça que je me sens bien quand il est là. C'est peut-être pour ça que mes sens me reviennent toujours en sa présence. J'adore ma famille et mes amis, mais... Thibault est vraiment celui pour lequel je tiens à tout prix à me réveiller.

Là, il est comme toutes les autres fois, allongé à côté de moi. Il a, comme toutes les autres fois, mal rebranché mon respirateur, ce qui entraînera un grommellement conséquent de l'infirmière quand elle s'en rendra compte. Jusqu'à présent, elle pense que le tuyau glisse. Elle ne se doute pas que quelqu'un le débranche régulièrement.

J'ai d'ailleurs l'impression que Thibault s'est habitué à me déplacer. Ou alors qu'il s'est musclé. Mais en seulement quelques jours, ce serait surprenant. Il n'empêche qu'aujourd'hui j'ai bien dû être poussée jusqu'à l'extrémité de mon lit, parce que je l'ai entendu soupirer de contentement en se calant dans mon matelas. Je n'ai cependant pas encore la certitude qu'il dort.

— Elsa...

Non, il ne dort pas. Ou alors, il parle dans ses rêves. Mais ce murmure est celui d'une personne tout à fait éveillée.

— Elsa...

Je voudrais frissonner. Ce que j'aimerais lui répondre. Son prénom est passé plus de fois dans ma tête en deux semaines que la moindre autre pensée depuis deux mois. C'est l'une des seules certitudes que j'aie sur lui. Son prénom. Pour le reste, je ne fais qu'imaginer à quoi il peut ressembler.

Durant mes heures de solitude, j'ai eu le temps de trier mes sens. Au début, je suis partie du fait que la vue était le plus important, mais, en étant isolée avec mon ouïe seule, je me suis dit qu'entendre était déjà un très bel atout. Pour le goût, j'ai décidé que ça pouvait être secondaire. Pour l'odorat, j'ai réalisé que j'aimerais connaître l'odeur de Thibault. À ce moment-là, le petit bip à côté de moi s'était emballé pendant quelques secondes, puis je m'étais remise à mes exercices mentaux. Mais je conclus toujours qu'aucun n'est aussi efficace que lorsque Thibault est allongé près de moi.

Et, aujourd'hui plus que jamais, je voudrais découvrir son visage, la couleur de ses yeux, observer ces mains qui m'ont envoyé des décharges électriques dans les bras la première fois.

Je voudrais le sentir, savoir s'il porte un parfum, apprendre à reconnaître l'odeur de sa peau. Je voudrais toucher son corps avec le mien tout entier.

Je laisse en revanche le sens du goût de côté parce que le capteur de pouls s'emballe de façon trop conséquente quand je m'y attarde. Chaque fois que je me suis imaginé embrasser Thibault en ramenant à moi le souvenir que j'avais de ses lèvres sur ma joue, j'ai entendu débarquer l'infirmière. À la quatrième fois en moins d'une demi-journée, le médecin de service a dit d'arrêter de l'interrompre pour ça. Je me souviens néanmoins qu'il avait parlé de rappeler à son collègue, mon médecin attitré, de me refaire passer un scanner. Mais lorsqu'il avait vu le « moins X » sur mon carnet, il s'était aussitôt ravisé, informant l'infirmière d'oublier ce qu'il venait de dire.

Cet interlude m'a laissé un très bref espoir de pouvoir montrer au monde que je suis encore active. Mais ils s'en remettent tous aux capteurs de plus faible amplitude, dont aucun ne montre les signes de mon activité cérébrale. Pourtant... Pourtant je suis vivante ! J'ai envie de le crier.

Je suis vivante !

— Elsa... Quand comptes-tu te réveiller ?

La voix de Thibault me donne envie de pleurer. Je peux même sentir mes glandes lacrymales qui cherchent à s'activer. C'est fou de pouvoir les repérer dans son corps. Certes, ce n'est pas une grande victoire si, quand je me réveille, je déclare fièrement que je peux les situer, mais là c'est un vrai délice de pouvoir, une fois de plus, percevoir des parties de mon organisme. Sentir n'est qu'une étape sur le chemin du mouvement. C'est une espèce de credo que je me suis inventé. Mon cerveau est capable de recevoir des informations. J'aimerais à présent qu'il les envoie.

J'aimerais aussi pouvoir donner une réponse à Thibault. Et mes doutes me font aussitôt replonger. Je sais que j'ai besoin de temps pour me réveiller. Mais je n'ai pas ce temps. Le « moins X » sur mon carnet se transformera peut-être bientôt en « moins quelque chose ». Et même si j'espère que ce quelque chose sera le plus grand possible, je sais très bien qu'il ne sera pas infini. Prendre une telle décision rongera forcément mes parents. Je ne les ai pas « vus » depuis leur échange avec le médecin, je sais qu'ils y réfléchissent. Mais, à leur place, si je devais enfin me décider sur le oui, je préférerais que ça ne traîne pas.

— Je veux que tu te réveilles.

Ces quelques mots prononcés sur le murmure le plus doux me détournent de mes pensées négatives.

Je suis partagée entre l'ironie de penser : « Et moi donc ! » et un « Merci… » plein d'émotions. Je ne peux que me contenter de m'imaginer dire l'un ou l'autre. Mon corps semble cependant percevoir mon désir, car je m'entends soupirer. Il me semble même sentir mon diaphragme remuer dans mon ventre. Un autre progrès encore. Si seulement Thibault pouvait rester en permanence auprès de moi.

Je l'imagine alors lové chaque heure du jour et de la nuit à côté de moi, respirant, vibrant, présent comme jamais. Je repense à ses lèvres sur ma joue. Mon rythme cardiaque accélère un peu sur le moniteur, mais rien d'alarmant. Mes pensées vont toutes seules vers ce que je m'interdis depuis quelque temps, mais je ne peux me retenir. Le bip accélère encore et je martèle à mon cerveau de contrôler tout ça. Il faut croire que ça marche.

À partir de là, mon imagination déraille. Sérieusement.

Puis tout se fige.

Une sensation remonte le long de mes jambes.

J'ai froid.

— Elsa. Il faut que tu te réveilles et que tu remettes un peu de muscles dans tout ça !

Le ton moqueur de Thibault me surprend autant que la sensation de froid. Mais de quoi parle-t-il ?

— Je viens de m'autoriser à regarder tes jambes. Tu m'en veux pas, j'espère. J'ai juste poussé le bas du drap. Rien de malhonnête de ma part, je ne vois que de tes pieds à tes genoux. Je me demandais juste à quoi elles ressemblaient.

J'ai envie de rire. Qu'est-ce qu'elles pourraient avoir de si intéressant, mes jambes ?

— J'ai cherché un peu ce que c'était, en vrai, l'alpinisme. En lisant tout ça, je me suis dit que tu devais être sacrément musclée ! Mais là, ma belle, va y avoir du travail à ton réveil !

De nouveau, je voudrais rire à n'en plus finir, répondre à Thibault que je travaillerai autant qu'il le voudra et qu'on s'en fout pas mal, pour l'instant, de savoir que mes mollets ressemblent à des branches d'arbres. On s'en fout ! J'ai froid, Thibault ! J'ai froid ! Tu te rends compte ?

— Je suis amoureux de toi, Elsa.

Un. Deux. Trois. Biiiiiiiiiiiiiip !

Le capteur de pouls émet un son puissant au moment où ma poitrine se crispe. Les muscles de mon cou se tendent brusquement, ma tête part légèrement en arrière. Mes épaules descendent dans mon dos. Mon bassin recule. Mon souffle est coupé. Puis tout retombe.

Je sens des picotements dans tout mon corps, comme un arrière-goût, ou un arrière-sens, devrais-je dire, de ce qui vient de m'arriver. Pendant une seconde complète, j'ai été entièrement consciente de mon corps. Répète-le, Thibault, je t'en supplie. Je veux à nouveau être moi.

— Elsa... Je... Je crois que tu viens de m'entendre.

Oui, je viens de t'entendre, Thibault ! Bien sûr que oui ! Ça fait même deux semaines que je t'entends ! Et j'aimerais t'entendre le répéter encore et encore. Pour me réveiller, pour me rassurer, juste pour le plaisir de le savoir.

Savoir qu'une personne sur cette planète croit toujours en moi.

Mais j'entends simplement un grand froissement de draps et le poids d'un corps qui se dégage du matelas. Je perçois le mien qu'on déplace et qu'on remet au milieu du lit. Puis Thibault repasse ses chaussures et ses vêtements. Je connais son rituel par cœur. Le pull, la veste, la fermeture Éclair, le cache-col, les gants, le bonnet dans la poche et un coup de main dans les cheveux.

Son poids sur le bord de mon lit.

— Je sais que tu m'entends, Elsa.

Ses lèvres contre ma joue.

Le bip du capteur de pouls lors du contact.

— Tu m'en donnes la preuve chaque fois.

À ce moment-là, je perçois des bruits de course dans le couloir, mais les pas précipités passent devant ma porte sans s'y arrêter. Ça semble ramener Thibault à ce qu'il s'apprêtait à faire.

— À demain…

Un nouveau baiser et Thibault s'en va.

Mon cerveau a emmagasiné plus d'informations que jamais. Maintenant, au travail.

22

Thibault

— Poussez-vous !

Je me décale aussitôt contre le mur du couloir, le ton pressant de l'infirmier suffisant à me faire comprendre qu'il n'a pas le temps d'être poli. Je ne sais pas ce qui se passe, mais tout s'agite au cinquième étage. Des infirmiers et des médecins courent de façon très certainement organisée, même si, pour moi, c'est assez anarchique. Quelque chose a dû se passer, mais là je m'en fiche complètement.

Mon esprit s'est évadé. Quelque part entre mon corps et mon cœur. Je n'ai jamais fait une déclaration dans pareilles circonstances. En même temps, je mets au défi qui que ce soit de me montrer une situation similaire.

Je prends l'escalier parce que les ascenseurs sont tous réquisitionnés pour le cas urgent qui paraît mettre en panique la moitié de l'étage. Quand j'arrive au rez-de-chaussée, l'agitation s'y est déjà propagée. Je sors du bâtiment en rasant les murs pour ne pas gêner les gens en blouse qui se précipitent à l'extérieur. J'aperçois un attroupement médical à une trentaine de mètres. Ça doit être la raison du chambardement.

Je rejoins ma voiture, mes pensées toujours per-
chées au cinquième étage autour du corps frêle de la
chambre 52. Ce corps que j'aurais voulu serrer dans
mes bras. Mais quand j'ai vu ces jambes si fines et si
fragiles après des mois d'immobilité, j'ai retenu mon
désir égoïste et me suis contenté de me rasseoir à
côté d'elle avant de partir. J'aurais eu trop peur de
briser quelque chose.

J'arrive chez moi vingt minutes plus tard sans
avoir vraiment réalisé la route. Je m'installe dans le
canapé, tous mes sens endormis. Mes gestes ne sont
que réflexes et habitudes. Une idée infuse lentement
en moi en même temps que je sirote un verre de jus
de poire.

J'aime quelqu'un et ce quelqu'un l'a entendu.

Je pousse un profond soupir et me mords la lèvre
inférieure pour retenir vainement un énorme sourire.
N'importe qui me demandant d'expliquer la situation me diagnostiquerait fou. J'écarte cette pensée en
me disant que si je l'avais rencontrée et aimée avant
qu'elle soit dans le coma, la situation serait finalement
peu différente.

La sonnerie de mon téléphone m'oblige à sortir du
canapé et de mon rêve éveillé.

— Allô ? dis-je en bâillant.

— T'es déjà fatigué à une heure pareille ?

— Julien... J'ai même plus le droit de bâiller,
maintenant ?

— Pas quand je t'appelle !

— Bon, et tu m'appelles pour quoi ?

Mon meilleur ami se lance dans un petit question-
naire savamment préparé par son épouse au sujet du

baptême de Clara. Est-ce que j'ai bien pensé à ça, je ne dois pas oublier ça, il faudra que je fasse ça pendant la cérémonie, et j'en passe.

— Je me souviens de tout, rassure-toi ! Qu'est-ce qu'elle essaie de faire, là, Gaëlle ? Me faire passer un ultime test de parrainage ? Ce week-end n'a pas suffi ?

— Si, si, tu t'es très bien occupé de Clara. Gaëlle était vraiment contente.

— Eh ben alors ?

— Non, j'essaie juste de déstresser un peu.

Là, Julien me prend de court. Mon meilleur ami, stressé ?

— Qu'est-ce qui t'arrive ? je demande aussitôt.

— Oh, c'est juste l'organisation du baptême qui nous met un peu sur les nerfs, avec Gaëlle.

Le ton de Julien me fait hésiter.

— Julien… Qu'est-ce que tu attends de moi au juste ?

— Tu as un moment, ce soir ?

— Bien sûr que j'ai un moment pour toi ! Mais qu'est-ce qui se passe ?

Les réponses de Julien commencent vraiment à m'inquiéter.

— Oh, rien de grave, rassure-toi !

— Pourquoi tout ça, alors ?

— J'ai juste un truc à te dire. Ça te va si on se retrouve au pub ? Ou non, plutôt chez toi. Ça t'irait ?

— Oui, parfait ! Mais tu es sûr que tout va bien ?

— Certain. À tout de suite.

Julien raccroche. Je reste perplexe un instant et abandonne l'idée de le rappeler pour en savoir plus. Il sera bientôt chez moi, alors autant patienter.

Je relève les yeux sur mon appartement. Je n'ai pas vraiment fait attention en rentrant tout à l'heure, puisque j'étais seulement à moitié concentré sur ce que je faisais, mais mon salon est dans un sale état.

Je profite de la demi-heure que prendra Julien pour arriver jusqu'à chez moi pour mettre un peu d'ordre, puis fais le tour de ce que je peux lui offrir en dehors du jus de poire. La réponse est évidente après cinq minutes de recherche active : rien. Tant pis, c'est mon meilleur ami, il ne m'en voudra pas.

L'interphone sonne. J'ouvre à Julien et l'attends sur le pas de la porte. Quand il arrive, une minute après, je le dévisage pour tenter de comprendre sa venue soudaine chez moi. Il me fait la bise et entre rapidement, se déchausse, file dans mon salon et s'écrase dans le canapé.

Je lui montre la bouteille de jus de poire sans rien prononcer. Il répond d'un geste de main que ça lui convient. Aucun de nous n'a dit un mot depuis l'échange par interphone. Je m'installe face à lui et le scrute. Ça me fait rire parce que c'est plus généralement l'inverse qui a lieu.

— Pourquoi tu rigoles ? me demande-t-il.

— Ces derniers temps, c'est plutôt toi qui attendais que je parle. Là, faudrait que tu te décides à ouvrir la bouche.

Julien hoche la tête et je vois un sourire glisser sur ses lèvres. Puis il se redresse, serre sa main droite avec la gauche, signe qu'il appréhende vraiment, et prend une longue inspiration.

— Gaëlle est enceinte.

En une fraction de seconde, je passe par une multitude d'états. Heureux pour mon ami, jaloux de lui, réjoui pour Clara qui va avoir un petit frère ou une petite sœur, anxieux pour mon couple d'amis qui va avoir un deuxième enfant à la maison, et je comprends alors le besoin de Julien de « déstresser », comme il me l'a dit au téléphone. Je résume cependant tout ça en un mot.

— C'est génial !

Julien me fixe des yeux et je vois enfin son visage s'illuminer.

— Tu l'as dit !

Je me lève et vais le serrer dans mes bras. Je sens toute son émotion à l'idée de devenir père pour la deuxième fois. Je remarque même qu'il pleure un peu, sûrement de joie, je ne vois pas de quoi d'autre.

— Ça va, toi ? me demande-t-il en se rasseyant dans le canapé.

— Avec une nouvelle pareille ? Évidemment !

— Non, mais… Je veux dire…

Je comprends le léger malaise de Julien. Il sait que j'adore les enfants. Tout le monde le sait. Et il sait aussi que le fait que je n'en aie pas commence à me turlupiner.

— C'est bon, Julien. T'embête pas. Je trouverai la personne en temps voulu.

— C'est un sacré progrès, ça ! s'exclame-t-il sincèrement.

— Ouais, je sais. Mais, tu m'expliques pourquoi t'étais si stressé ?

Je préfère détourner la conversation, je n'ai pas envie de parler de ma situation avec Elsa.

— Eh bien, c'était ça qui m'angoissait, avoue-t-il.

— De quoi ?

— Toi.

— Moi ?

— Le fait de te l'annoncer.

J'aurais fondu en larmes si mes principes de virilité n'étaient pas aussi imposants dans une situation comme celle-ci. Je les ai laissés de côté quand j'ai pleuré la dernière fois au pub, mais là je m'y accroche.

— Julien… Vraiment, tu peux arrêter de te torturer avec ça. Oui, je suis un peu jaloux de cette merveilleuse famille que tu as, mais je pense être prêt à en fonder une, alors tu laisses tout ça derrière nous, d'accord ?

Julien semble vérifier sur mon visage si je n'ai pas glissé un mensonge quelque part. Apparemment, il n'a rien trouvé. Il hoche la tête et je lui souris avec amusement. Nous nous mettons à rire lorsque mon téléphone sonne à nouveau.

— Excuse-moi, je reviens tout de suite, lui dis-je au milieu de nos éclats.

Je décroche sans regarder la provenance de l'appel, toujours plongé dans l'euphorie de la nouvelle que je viens d'apprendre. Je deviens brusquement sérieux en entendant l'ambiance derrière la voix féminine. Je ne suis pas entièrement capable d'y associer un lieu, mais quelque chose me dit que cet appel n'est pas anodin.

— Monsieur Gramont ?

— C'est moi.

— Bonsoir. C'est l'hôpital des Rosalines.

Mon sang se glace. La voix de l'infirmière disparaît derrière un écran sonore que mon cerveau fabrique tout seul pour occulter les informations pendant qu'il cherche les raisons possibles d'un tel appel. La première personne qui me vient à l'esprit est Elsa. Mais je ne vois pas pourquoi l'hôpital me contacterait pour elle.

— Allô ? Monsieur Gramont ? Vous êtes toujours là ?

— Euh… Oui, excusez-moi. Je n'ai rien entendu. Vous pouvez répéter, s'il vous plaît ?

— Je disais que je vous contactais parce que je n'ai pas réussi à joindre l'autre personne, Mme Gramont. Je pense qu'il s'agit de votre maman, n'est-ce pas ?

— Oui, c'est ça. Que se passe-t-il ?

— Je… je suis vraiment désolée de vous annoncer ça par téléphone, mais… Votre frère est décédé. Il a chuté par la fenêtre de sa chambre il y a environ une heure. Nous avons tenté de le réanimer, vainement. Toute l'équipe est convaincue qu'il s'agit d'un suicide. Je suis vraiment désolée. Il… Il faudrait passer à l'hôpital pour régler l'aspect administratif, et puis pour… enfin, vous comprenez.

Si elle dit encore une seule fois qu'elle est désolée, je raccroche.

— Monsieur Gramont ?

Je suis en train de me liquéfier. J'ai terriblement froid. Même si mon esprit vient de se vider, je trouve quand même le moyen de répondre.

— J'arrive d'ici à trente minutes avec Mme Gramont.

Je raccroche sans lui laisser le temps d'ajouter quoi que ce soit. Je m'étais éloigné par habitude, pour ne pas déranger Julien avec la conversation téléphonique.

Finalement, c'est lui que je sens s'approcher derrière moi.

— Thibault ? Qu'est-ce qui se passe ?

Je reste d'abord face à la fenêtre puis me retourne lentement. Mes principes de virilité sont en train de se briser en mille morceaux.

— C'est Sylvain…

Julien comprend en un instant. Pourtant, je ne vois pas comment c'est possible. Ou alors il a juste saisi qu'il s'était passé quelque chose d'important.

— Il faut aller à l'hôpital ?

— Je dois d'abord passer chercher ma mère.

— À ce point ?

Je hoche la tête, incapable de prononcer un mot de plus. Julien s'active autour de moi alors que je reste immobile, me lance mes chaussures et ma veste de cosmonaute. Je ne sais pas comment je fais pour atterrir dans sa voiture à la place passager. Je ne sais pas non plus comment ma mère atterrit à l'arrière. Je ne sais plus rien. Plus rien du tout. Rien d'autre que la douleur et cette foutue barrière qu'on tente d'ériger autour.

23

Elsa

Il m'avait dit « à demain ».

Ça va faire une semaine.

Je me suis repassé notre dernier contact un nombre incalculable de fois pour voir si je ne m'étais pas trompée, mais non. Je suis certaine qu'il m'a dit à demain. Au début, j'ai été assez tranquille. Il avait peut-être autre chose à faire. Il avait *sûrement* autre chose à faire. Ça n'a pas empêché une pointe de jalousie de ma part.

J'ai eu un petit espoir en cours de semaine, quand le loquet de ma chambre a grincé, mais ce n'était qu'un médecin. Je n'ai pas exactement su lequel, mais j'ai eu un doute prononcé pour mon interne. Je crois qu'il a feuilleté mon carnet et qu'il y a gribouillé quelque chose. Il s'est aussi attardé près de tous mes écrans comme s'il les étudiait, puis il est reparti sans prononcer un mot. En même temps, pourquoi aurait-il parlé ?

J'ai alors expérimenté de nouvelles émotions. Déception, angoisse passagère. Peur.

Celle-ci, il fallait bien que je finisse par l'avoir. Pourtant, j'aurais voulu la laisser arriver en dernier.

Surtout que ce n'est pas le genre de peurs que j'aime ressentir.

Sur un glacier, quand j'avais les crampons aux pieds et que j'apercevais un pont de neige ou une crevasse, j'avais toujours un peu peur. Mais c'était une peur avec adrénaline contrôlée, comme je disais à Steve. On savait que presque tout ne dépendait que de nous, de notre façon de traverser, de notre délicatesse et de notre rapidité, de notre agilité et de notre intelligence. Il y avait toujours une part de chance, mais, franchement, on ne fait pas d'alpinisme si on n'accepte pas la prise de risque à chaque pas.

Ce que je ressens aujourd'hui, c'est une peur qui me dévore de l'intérieur. Je n'ai aucune emprise sur elle, aucun moyen de l'étouffer derrière une autre émotion. Je suis dans l'attente, et cette attente est interminable.

J'ai d'abord eu peur que Thibault ne revienne jamais. Ce qui impliquait que mes exercices ne seraient plus aussi efficaces, et donc de ne pas me réveiller à temps. Au milieu de tout ça, j'ai eu peur qu'il lui soit arrivé quelque chose. Bref, c'était certain que mon organisme se remettrait à fonctionner autour de cette chimie atroce.

Heureusement, ça a un peu stimulé le reste. Mon sens du toucher me revient davantage. Il me semble même avoir perçu une faible odeur de jasmin au moment où l'aide-soignante m'a glissé deux gouttes dans le cou, mais je n'ai pas su si c'était simplement le fruit de mon imagination ou si l'information était réelle. Encore une fois, j'ai juste choisi de penser qu'elle était réelle. Quitte à mourir, autant faire en sorte d'emmagasiner le plus d'informations possible, même si ça implique seulement de sentir une odeur de jasmin. Ou de l'inventer.

J'ai l'impression d'être un sac en vrac. Un sac plein de tout un tas de choses aussi grotesques que naturelles, mais qui s'enchevêtrent les unes dans les autres. Je ne fais plus vraiment la différence entre les informations qui m'assaillent. Il y en a de plus en plus. C'est comme si mon cerveau arrivait à saturation. Comme si les zones actives ne faisaient que quelques nanomètres carrés, et que ces trois dernières semaines en eussent occupé tout l'espace. Ça s'empile, ça se superpose. Je redoute que ça finisse par se mélanger. C'est pour ça que je me dis chaque jour que ça fait peut-être moins d'une semaine que Thibault m'a dit « à demain », mais la radio de la femme de ménage me confirme la date chaque nuit.

Et c'est étrange, parce que ma sœur non plus n'est pas venue mercredi. Peut-être qu'elle avait des examens. Peut-être que sa dernière visite l'a trop secouée. Je n'ai aucun espoir qu'elle ait déjà conclu avec Steve. Il ne fait absolument pas partie du peloton qui la suit. J'espère simplement qu'elle y arrivera. Steve mérite une belle histoire, et il serait temps qu'elle en mette une sur pied.

J'aurais tellement voulu en mettre une sur pied, moi aussi.

J'ai à la fois l'impression que c'est essentiel et ridicule de penser ça. Comment, dans mon état, puis-je accorder une importance aussi capitale à une histoire d'amour ? Je devrais vouloir vivre pour bouger, retourner sur un glacier, voir ma famille, rencontrer

des gens, découvrir le monde, sourire à n'en plus
finir et rire encore et encore. Je sais que ce sont des
choses qui m'importent. Énormément. Mais je sais
aussi que le sentiment d'aimer est ce qui met de la
couleur au milieu de tout ça.

Je souris mentalement. Je pourrais apporter tant
d'informations à ma sœur avec mes histoires de couleurs. Ça lui servirait vraiment pour les Beaux-Arts. Je
ne lui souhaite pas d'être à ma place pour découvrir
tout ce que j'ai appris, mais j'aimerais le partager
avec elle. Après, je ne sais pas si elle serait capable
de l'adapter au monde réel avec de la peinture et des
pinceaux, mais ça vaudrait le coup d'essayer.

Ça y est, je commence à divaguer. Il faut que j'arrête
de penser. Enfin, que j'arrête de penser à autant de
choses en même temps. À autant de personnes. Ça
m'embrouille.

J'ai trouvé la solution hier, enfin… ce que je pense
être hier. Je l'avais déjà depuis un bon moment, mais
je n'avais pas perçu combien cette petite activité me
permettait d'oublier tout le reste. C'est quand je l'ai
appliquée que je me suis rendu compte à quel point
cela soulageait mon esprit. Donc, je la reprends maintenant.

Je veux tourner la tête et ouvrir les yeux.

Je veux tourner la tête et ouvrir les yeux.

De temps en temps, une pensée furtive se glisse au
milieu. Un « je veux aimer », que je chasse aussitôt.
Ça m'entraînerait dans une divagation beaucoup trop
néfaste.

Je veux tourner la tête et ouvrir les yeux.

Même si ça n'arrive qu'une demi-seconde avant que mon esprit ne s'éteigne définitivement, je veux tourner la tête et ouvrir les yeux.

24

Thibault

Le bruit d'une porte qui claque sur le palier de mon étage me fait sursauter. J'ouvre difficilement les yeux et laisse le temps à mes pupilles de s'habituer à l'obscurité.

Dans un coin de la pièce, la petite horloge électronique affiche 2 h 44. J'entends le murmure liquide du frigo dans la cuisine, le bourdonnement d'une ou deux voitures, en bas, dans la rue. Quelques petits voyants rouges brillent à proximité de moi. Les réverbères orange de la ville font entrer un peu de lumière dans mon appartement.

Si je n'avais pas cette fichue pression au niveau de l'estomac, je dirais qu'il s'agit d'une nuit normale, tranquille, où je me serais endormi dans mon canapé en bouquinant un truc. Sauf qu'aucun livre ne gît sur la table de mon salon, seulement un cadavre de bouteille de jus de poire, et que ça doit faire deux jours que je n'ai pas pris une douche. Ou peut-être trois…

Je pousse la vieille couverture avec mes pieds et me redresse. J'ai la tête qui tourne. Je crois aussi que ça fait vingt-quatre heures que je n'ai rien mangé. Depuis quand exactement suis-je assis dans mon canapé ?

Il vaut mieux que je ne cherche pas la réponse.

Mon estomac se serre encore plus. Je n'arrive pas à savoir si j'ai faim ou pas. Dans tous les cas, il serait judicieux que je mange quelque chose.

Je me lève maladroitement et me dirige vers la cuisine. Mon frigo est encore assez rempli, mais les premiers vivres que j'en sors sont soit inintéressants, soit périmés. Je me décide finalement pour un steak haché et des pâtes. Le repas du parfait étudiant, mais, à presque 3 heures du matin, c'est la seule chose qui me fasse envie.

Je mets l'eau à bouillir, prépare les pâtes à côté. La poêle commence à chauffer et j'y jette le morceau de viande. J'accomplis les derniers gestes, à savoir sortir une assiette, des couverts et une passoire, dans le flou le plus total, puis je m'effondre sur une des chaises.

J'ai fait tout ça dans le noir, avec pour seuls repères ceux que la faible lueur des réverbères voulait bien me donner. Je ne sais pas ce que ça donnerait de manger dans une pénombre pareille, mais je sais que je n'ai pas envie de tenter l'expérience. Je fais basculer ma chaise en arrière pour accéder à la hotte. J'ai le bras assez long pour appuyer sur le petit interrupteur. La lumière jaune reste dans mon dos, mais prodigue assez de clarté pour me permettre de distinguer mon environnement. Ça fera l'affaire.

Une autre petite lumière, blanche et clignotante, attire mon attention dans le salon. Il s'agit de mon téléphone. Lui aussi, je l'ai laissé de côté depuis quelques jours, comme le téléphone fixe. J'ai même pris la peine de changer le répondeur du second en disant que s'il y avait quelque chose de vraiment très important, il fallait laisser un message et que je l'entendrais. Dans le cas inverse, les gens n'avaient qu'à raccrocher. Je me souviens avoir entendu ma mère deux fois, pour me demander comment j'allais. Julien et Gaëlle aussi. Mais, au-delà de la première journée, plus rien.

Pour le téléphone portable, je n'en ai pas fait autant. Je n'allais pas envoyer un message à la terre entière pour expliquer ma situation. Je dois avoir une bonne trentaine de notifications diverses. Entre les messages vocaux et écrits, j'aurais de quoi m'occuper toute une matinée. Je sais que, au milieu de ma mère et Julien, il y aura des membres de la famille, et, pire encore, je sais qu'ils parleront du repas de Noël, qui doit avoir lieu dans quelques jours. Mon cousin a dû lui aussi tenter de me contacter depuis samedi dernier.

Dans mon dos, l'eau bout. Je me lève pour y verser les pâtes, je retourne le steak dont l'odeur me fait déjà saliver et rassure mentalement mon estomac en lui faisant comprendre que ce sera pour bientôt. C'est étrange de voir à quel point nos instincts primitifs peuvent surgir à des moments où on ne s'y attend pas du tout. Je déprime sur la mort de mon frère et mon corps me demande de manger. Ça pourrait sembler insensé, mais non, c'est le cycle naturel des choses.

C'est aussi ce qu'a dit la personne qui a enterré mon frère samedi dernier. Tout n'est qu'un cycle. On naît, on vit, on meurt. C'est cyclique, ça continue pour les autres, jusqu'à ce qu'ils s'effacent à leur tour. Moi, je ne sais pas où j'ai commencé, mais ce qui est sûr, c'est que j'ai l'impression d'être bloqué au milieu du cercle sans moyen d'en sortir.

Si, en fait, je sais très bien où j'ai commencé. J'ai commencé jeudi dernier quand on est arrivés à l'hôpital avec ma mère et Julien. Rapidement, il a été évident que mon frère s'était effectivement suicidé et qu'il ne s'agissait pas d'un accident. Il avait laissé quelques indices dans sa chambre, dont un m'était personnellement destiné. Quand on était petits, on avait dit qu'un jour on serait pilotes de ligne, et qu'on s'envolerait ensemble, tous les deux. Sur l'avion en papier posé sur son lit, il y avait écrit : « On s'est envolés chacun de notre côté, on n'a juste pas choisi la même piste d'atterrissage. » Il y avait un smiley en dessous et, même si le rapprochement avec la façon dont il a mis un terme à sa vie aurait pu être troublant, je sais que mon frère parlait simplement de nos choix de vie.

Ensuite, tout s'est enchaîné sans que j'y fasse vraiment attention. Les papiers, l'enterrement, mon patron qui me file deux semaines de congé, le baptême de Clara où tout le monde m'a laissé tranquille parce que Gaëlle et Julien avaient prévenu la majeure partie de l'assemblée. J'ai réussi à décrocher un sourire quand j'ai eu Clara dans les bras au moment de signer dans l'énorme cahier, puis je suis parti juste après la cérémonie. C'est en rentrant que j'ai modifié mon répondeur téléphonique. Depuis, je n'ai eu de contact avec personne.

L'odeur de la viande cuite me ramène à moi. Je prépare mon assiette et la pose sur la table. Je suis surpris de la voracité avec laquelle je dévore mon repas. Je vide une demi-bouteille d'eau et la remplis à nouveau avant de retourner au salon. Je ne sais pas si c'est le fait d'avoir mangé, ou simplement de m'être réveillé à une heure pareille, mais j'ai terriblement sommeil. Je m'affale sur le canapé avec, pour la première fois en plusieurs jours, la véritable intention de dormir. Je n'ai pas le temps de compter jusqu'à trois que les ténèbres m'enveloppent à nouveau.

Cette fois-ci, c'est la sonnette de ma porte qui me réveille. Un coup d'œil rapide à l'horloge. Il est presque 11 heures du matin. Mon salon est inondé de lumière, pourtant, je dormais vraiment profondément. Le bruit strident de la sonnette me fait de nouveau tressaillir et je marmonne un vague « j'arrive » en me dégageant de la couverture.

Le petit miroir derrière ma porte d'entrée doit me servir pour la première fois en un an, car je prends trois secondes pour tenter de remettre de l'ordre dans mes cheveux. Pour le reste, je suis habillé, de la même façon depuis une éternité, mais c'est mieux que rien.

J'ouvre la porte avec la ferme intention d'envoyer balader la personne qui se trouve derrière et retiens ma remarque en voyant ma voisine de grand-mère.

— Ah ! Vous voilà ! s'exclame-t-elle. Je ne savais pas si vous étiez en vacances ou pas, parce que votre boîte aux lettres déborde ! Je me suis permis de récupérer ce qui dépassait. Tenez. Et... Vous devriez prendre une douche.

Elle me lance un clin d'œil, et je reste interloqué pendant qu'elle retourne à son appartement. Je réalise alors que c'est elle qui a fait claquer sa porte vers 3 heures du matin. Elle a une énergie surprenante pour son âge. Et elle ne perd pas son temps à faire des courbettes.

Je jette d'abord un œil sur les lettres qu'elle m'a passées. Rien de bien important, et je pose tout ça dans le salon. J'hésite entre un café et une douche, et j'opte pour le café, puis la douche. C'est la faim qui me sort de la salle de bains, et je me retrouve de nouveau à faire le tri dans mon frigo. Pendant que mon repas cuit tranquillement, j'attrape la pile de courrier et fais semblant de m'y intéresser.

J'avais raison, ça ne présente aucune urgence. Ce sont même des courriers complètement inutiles. Le petit clignotement blanc de mon téléphone portable passe dans mon champ de vision au moment où je rapporte tout dans l'entrée. Je me dis que, quitte à ouvrir des lettres, autant continuer et me farcir mon téléphone.

Je regarde rapidement les messages écrits et réponds très brièvement à Julien, mon cousin et ma mère. Je n'ai envie d'appeler personne. Vient ensuite la longue liste des messages vocaux, et je laisse le téléphone sur haut-parleur pour les écouter tous, en criant « supprimer » de temps à autre depuis la cuisine où je surveille mon repas. Je dois en être au douzième quand une voix nouvelle commence son discours.

— Bonjour, Thibault. C'est Rebecca. Tu te souviens, on s'est déjà vus deux fois à l'hôpital. Ça doit te sembler étrange que j'aie ton numéro, mais j'ai fini par l'obtenir à force de demander au personnel de l'hôpital. Je voulais te prévenir, et Alex et Steve sont d'accord avec moi. Elsa va être débranchée. Voilà. Sa famille a prévu ça dans quatre jours. Je ne sais pas si tu veux venir dire au revoir, ou quelque chose comme ça. Tu as mon numéro, maintenant, alors n'hésite pas à rappeler.

Mon corps et mon cerveau se remettent en marche en un éclair. Je me précipite sur mon téléphone pour réécouter le message et me bagarre avec le clavier. Après une minute, je réussis enfin à savoir de quand date l'appel. Rebecca m'a contacté le lundi 16. Si j'en crois ce qui est affiché sur mon téléphone, on est le 20. Pas besoin de faire trop d'efforts pour comprendre que « dans quatre jours », c'est aujourd'hui. Mon horloge personnelle arrête de tourner, puis, lentement, tout se remet en route dans ma tête.

J'éteins le gaz et me précipite sur mes affaires. Je ne prends même pas le temps de lacer mes chaussures ni d'enfiler ma veste. Je ne sais même plus si j'ai fermé la porte à clé quand j'arrive dans la voiture. La seule chose que je sais, c'est que j'ai été le plus imbécile de tous les mecs sur cette planète.

Comment ai-je pu l'oublier ? Comment ai-je pu oublier Elsa ?

Tout en conduisant, je prends conscience que je ne l'ai pas oubliée mais que j'ai arrêté de croire en elle. Le suicide de mon frère m'a fait réviser tout ce que je pensais sur le fait qu'Elsa puisse m'entendre. Elle était mon sauf-conduit tant que mon frère était là. À partir du moment où il nous a quittés, j'ai eu l'impression qu'Elsa me quittait aussi. Sauf que c'est moi qui l'ai quittée, finalement. Quel imbécile…

Je sais qu'elle peut m'entendre. J'en suis certain.

Alors, la question que je dois me poser maintenant, ce n'est pas : « Comment ai-je pu être assez stupide pour laisser ça de côté ? », mais : « Pourquoi est-ce qu'ils ont l'intention de la débrancher ? »

Et c'est avec cette question que je m'engouffre dans le couloir du cinquième étage de l'hôpital, mon cœur et ma raison se préparant à l'argumentaire certain que je vais devoir mener dans quelques instants.

25

Elsa

J'ai peur.

Au moins, c'est clair. Je suis terrorisée.

Je ne dois pas être la seule à l'être, d'ailleurs. Ça fait longtemps que le médecin et l'interne sont sortis. Ils ne sont restés que pour le début, la partie médicale. J'ai envie de dire la partie électrique, parce que, franchement, mettre tous mes appareils à l'arrêt, un enfant de six ans aurait pu le faire.

Maintenant, il reste trois personnes avec moi. On a été jusqu'à neuf, moi y compris, dans cette petite chambre. C'était plutôt bondé. Steve, Rebecca et Alex sont sortis il y a un moment. J'ai cru comprendre qu'ils attendaient en bas. J'ai envie de vomir rien qu'en y pensant. Mes amis sont en train d'attendre que je… Quelle horreur. À leur place, j'aurais déjà rendu mon déjeuner et j'aurais voulu m'enfuir le plus loin possible. Ils se sont juste enfuis cinq étages plus bas. Ça met une certaine distance, mais c'est quand même dans l'enceinte de l'hôpital.

Mes parents et ma sœur sont là, et eux aussi attendent. J'ai envie de leur dire de foutre le camp. Je ne veux pas de leur amour, encore moins de leur chagrin. Ils n'ont pas cru en moi, c'est juste répugnant. Mais peut-être ont-ils raison, dans le fond. Qu'est-ce qu'une vie où je ne peux que recevoir et rien donner ? Si c'est pour passer le reste de mes jours à entendre et ressentir uniquement, je me demande s'il ne vaut pas mieux…

La porte s'ouvre. Les pas sont rapides, la respiration haletante. Mes parents paraissent surpris, au vu du rythme des larmoiements, ce n'est donc pas le médecin qui a changé d'avis.

— Bonjour, dit ma mère d'une voix infiniment triste. Vous venez pour…

— Maman, interrompt ma sœur, tu veux qu'il vienne pour qui ? Allez, viens, on le laisse tranquille deux minutes. Ça fait déjà une heure et demie qu'on est là, elle va pas partir tout de suite.

Le ton de ma sœur, entre fermeté et peine démesurée, m'anéantit.

— Pourquoi vous faites ça ?

Mon cœur fait un bond dans ma poitrine, entraînant une courte altération dans mon pouls faiblissant, mais personne n'y prête attention.

Mon arc-en-ciel.

Je n'avais pas reconnu sa démarche ni sa façon de respirer, pourtant, sans le raffut de mon respirateur, la chambre est plutôt silencieuse. Peut-être que mon cerveau commence réellement à manquer d'oxygène, ça fait plus d'une heure que je respire par moi-même, ou plutôt que j'essaie. Mon cerveau sait que c'est difficile, je fais en sorte de tenir le coup. Mais, maintenant que j'ai entendu la voix de Thibault, c'est comme si mon organisme voulait s'accrocher à un dernier espoir.

Ma mère commence à balbutier un semblant de phrase.

— Comment ça, pourquoi…

— Maman, t'es pas croyable ! Pourquoi on la débranche ! Hein ? C'est ça qu'il veut savoir ! Non, c'est pas ça ? C'est pas ça que vous voulez savoir ?

L'amertume de ma sœur résonne dans toute la pièce. Je crois qu'elle n'a jamais été d'accord avec mes parents sur le fait de me débrancher.

— Si, c'est ce que j'aimerais savoir, répond enfin Thibault.

— Demandez-leur ! crache ma sœur avant de sortir de la chambre.

— Pauline, appelle ma mère. Reviens ici ! Quelle… Je vais la chercher.

— Laisse-la faire, soupire mon père.

— Non, je vais la chercher.

La porte claque. J'imagine mon père et Thibault, tous les deux dans la chambre. En d'autres circonstances, la rencontre aurait pu être très intéressante. Mais là, j'ai avec moi deux âmes aussi perdues l'une que l'autre.

Thibault se rapproche de moi et m'embrasse sur la joue. Je visualise tout à fait mon père se raidir. Il n'a pas la moindre idée de qui est Thibault, et, à la réflexion, on ne peut pas dire que je le sache réellement non plus, mais voir un inconnu embrasser sa fille ne doit pas le laisser indifférent.

— Tu respires encore…, murmure Thibault à mon oreille avec soulagement, avant de se redresser. Alors ? demande-t-il à mon père sans enlever sa main de mon épaule.

— Il n'y a plus aucun espoir, répond mon père d'un ton défaitiste.

— Ça, c'est parce que vous l'avez décidé.

— Vous croyez que ça a été une décision facile ?

Mon père commence à se mettre en colère. J'ai envie de prévenir Thibault, mais je ne peux rien faire. Alors, je me contente d'écouter. Après tout, c'est ce que je sais faire de mieux. Pour les quelques instants qui me restent.

— C'est plus facile que d'y croire, rétorque Thibault. Elle nous entend ! Elle sait qu'on est là ! Comment pouvez-vous la condamner ?

— Oui, je sais, dit mon père, passablement énervé. Tous ces trucs comme quoi les gens dans le coma nous entendent. Mais il faut vous rendre à l'évidence : Elsa a choisi de nous laisser.

— Elle n'a rien choisi du tout ! Qu'est-ce que vous voulez qu'elle choisisse dans son état ?

Là, j'ai envie de dire à Thibault qu'il a tort. Si, j'ai choisi d'essayer. L'inconvénient, c'est que ça n'a pas marché à temps.

— Mais qui êtes-vous, d'abord ? demande soudain mon père.

— Un ami d'Elsa.

Cette réponse, je la connais par cœur. Je ne sais pas pourquoi, mais aujourd'hui elle me déçoit un peu.

— Je ne vous ai jamais vu, poursuit mon père. Vous faites partie de ceux qui l'accompagnent sur ces… sur ces glaciers ?

Il a prononcé le dernier mot avec un tel dégoût qu'il a dû faire une grimace en même temps.

— Non. Mais on s'en fout. Vous ne pouvez pas la débrancher. Pas avant qu'elle se réveille !

— Elsa ne se réveillera pas.

— Qu'est-ce que vous en savez ? Puisque je vous dis qu'elle nous entend !

— C'est comme ça ! Et je n'ai pas à vous écouter, vous qui n'êtes qu'un soi-disant ami dont je n'ai jamais entendu parler, qui ne savez pas ce que ma femme et moi avons traversé pour en arriver à cette décision ! J'aime ma fille ! Ma femme et moi aimons notre fille ! De quel droit vous permettez-vous de me donner votre avis ?

Mon père a terminé en hurlant. La voix de Thibault contraste en volume. Sa réponse est presque chuchotée.

— Parce que j'aime votre fille.

Sensations de chaud et de froid mêlées. Picotements dans les doigts. Le capteur de pouls, unique appareil auquel je sois encore reliée, reflète l'accélération des battements de mon cœur. J'entends Thibault se tourner vers moi.

— Elsa ? Elsa, je sais que tu m'entends ! Vous avez vu ? lance-t-il à mon père. Elle a réagi.

— Arrêtez, c'est juste un écart aléatoire. Ses médecins nous ont expliqué tout ça. Laissez-la maintenant.

La colère de mon père s'est transformée en exaspération.

— Pas question, dit Thibault. Je ne bouge pas d'ici.

— Bah... Faites comme vous voulez. Mais... Qu'est-ce que vous faites ?

Cette fois, je discerne clairement de l'inquiétude dans la voix de mon père. Je repère alors un bruit qui est devenu assez habituel, celui de tous mes appareils qu'on remue. L'inconvénient, c'est qu'il n'y en a plus aucun relié à moi. Je comprends que Thibault a l'intention de tout remettre. Sauf qu'il ne sait pas poser une perfusion ou me glisser les tubes nasaux.

— Ce que vous auriez dû faire vous-même, dit Thibault, concentré sur moi.

— Mais, vous êtes fou… Arrêtez ça ! Arrêtez ça tout de suite !

— Essayez de m'en empêcher.

Le ton de Thibault aurait refroidi n'importe qui. L'arc-en-ciel s'est figé en un instant sur un bleu-blanc digne du plus solide glacier que je connaisse.

— Je vais chercher les médecins.

Mon père s'éloigne, la porte claque. Je suis seule avec Thibault.

Il pousse les machines, cherche les tubes. Mais je crois que les infirmières ont trop bien travaillé. Il ne doit plus rien rester dans cette chambre en dehors de mon respirateur trop lourd à déplacer et du capteur de pouls qui prononcera la décision finale. Je sens une main tremblante sur mon épaule.

— Elsa, s'il te plaît. Je sais que tu m'entends. J'y connais rien, moi, au coma. Mais je sais que tu es là. S'il te plaît…

La porte de ma chambre s'ouvre avec fracas, mais le son me parvient étouffé. J'entends mon père. Je crois que des pas se précipitent vers moi. Ou plutôt vers Thibault, puisque je sens qu'on l'arrache à moi. Les bruits sont de plus en plus ternes. Je parviens simplement à identifier les voix au milieu d'une cohue bruyante, et pourtant curieusement silencieuse. Le médecin, l'interne, mon père, ma mère et ma sœur

hystériques. Steve est là, lui aussi. Il parle à quelqu'un,
il crie sur quelqu'un, même.

Je me sens légère et lourde en même temps. Je
ne sais plus où je suis. Tout s'embrouille. Comme
chaque fois que tout s'embrouille, je me réfugie dans
mon exercice.

Rien qu'une fois.

Rien qu'une fois avant que tout ne s'efface.

26

J'ai occulté tout ce qui se passait autour de moi. Je ne suis concentré que sur elle. Mon corps tout entier est géré par des réflexes, ou alors mon cerveau s'est littéralement rivé sur deux tâches : tenter de me libérer de l'emprise de Steve et la regarder, elle.

Si elle arrête de respirer, je crois que j'arrête avec elle.

Maintenant que j'ai cessé de me débattre, on n'entend plus que des grognements, des respirations, des murmures. Quelques pleurs aussi. J'en fais peut-être partie. Peu importe. Mais la totalité de ces sons est rythmée par le bip lent, terriblement lent du moniteur.

La courbe lumineuse m'hypnotise. Je passe d'elle à Elsa, conscient que, pour la première fois, je peux entendre sa respiration sans artifice. Elle semble si lente, si fragile.

Avec tous les gens qui m'entourent et me surveillent, je n'ose pas ouvrir la bouche. J'ai envie de dire tellement de choses à Elsa. Et en même temps, tout pourrait être réduit à quelques mots. Je détends mes épaules d'un coup, l'étreinte de Steve se relâche progressivement.

— Faut que tu la laisses partir, gars.

Ma tête part en avant et mes paupières se remplissent de larmes. Ma bouche répète en boucle le prénom d'Elsa sans dépasser le murmure, puis je retrouve ma voix dans un dernier espoir.

— Elsa, montre-leur !

Je sens tous les regards se tourner vers moi.

Le bip continue sa pulsation en ralentissant. Mes poings sont si serrés que mes mains doivent être totalement blanches. Dans ma tête, j'enclenche un compte à rebours. Dix… Neuf… Elsa, réveille-toi… Huit… Sept… Allez, je sais que tu m'entendais… Six… Tu as réagi quand… Cinq… Quatre…

— Qu'est-ce que… ?

La voix de la jeune fille que j'ai déjà eu l'occasion de croiser me tire de mon décompte. Je suppose que c'est la sœur d'Elsa. Même si elles ne se ressemblent pas beaucoup, j'ai pu trouver une certaine similarité dans leurs traits.

— On dirait que son rythme cardiaque augmente…

Je relève la tête. La sœur a raison, les numéros sur l'écran sont plus élevés que les derniers que j'ai aperçus. Je tourne les yeux vers les médecins sur ma gauche. Il y en a un que je reconnais, celui qui m'avait expliqué pour l'assistance électronique d'Elsa. Ils semblent perplexes tous les deux, mais je crois voir une lueur d'espoir dans les yeux de l'interne. Son supérieur nie de la tête en lui chuchotant quelque chose. L'interne se tourne vers la famille.

— Aléatoire.

C'est la seule chose qu'il dit. Je ne veux plus jamais entendre ce mot de ma vie.

Rien qu'une fois. Rien qu'une fois.

Ça accapare la moindre parcelle active de mon cerveau.

Je n'entends plus rien. Je ne désire qu'une chose. Rien qu'une fois.

Je veux tourner la tête et ouvrir les yeux.

Mon cœur arrête de battre au moment où le sien accélère. Je plonge dans ce regard que je n'ai aperçu qu'une seule fois. Mes lèvres s'entrouvrent dans une inspiration commune à tous ceux de la pièce. Tout est suspendu.

Je sais que les aiguilles de ma montre continuent à tourner, mais l'immobilité totale de ceux qui m'entourent, y compris Steve, me fait l'effet d'un arrêt dans le temps. J'ai l'impression d'être privilégié, je suis le seul à me rapprocher d'elle.

Je referme les paupières. Il y avait trop de lumière. Je les rouvre lentement et, à ce moment-là, il est devant moi. Je n'irai pas dire que je le préférais en arc-en-ciel, parce que mon cerveau n'arrive pas encore à interpréter toutes les couleurs visibles. Je sais juste que j'ai réussi et ses mots font écho à mes pensées.

— Tu es là.

Je suis là.

Du même auteur :

LES MESSAGERS DES VENTS, VOL. 1, ÉDITIONS DU MASQUE, 2015.

Le Livre de Poche s'engage pour
l'environnement en réduisant
l'empreinte carbone de ses livres.
Celle de cet exemplaire est de :
250 g éq. CO$_2$
Rendez-vous sur
www.livredepoche-durable.fr

PAPIER À BASE DE
FIBRES CERTIFIÉES

Composition réalisée par Nord Compo

Imprimé en France par CPI
en juillet 2016
N° d'impression : 3018491
Dépôt légal 1re publication : juin 2016
Édition 02 - juillet 2016
LIBRAIRIE GÉNÉRALE FRANÇAISE
21, rue du Montparnasse - 75298 Paris Cedex 06

14/1213/2